Nadine Descheneaux

Les secrets du divan rose

N° 8

Amour, rock et Divans Bleus

Catalogage avant publication de Bibliothèque et Archives
nationales du Québec et Bibliothèque et Archives Canada

Descheneaux, Nadine, 1977-

Amour, rock et Divans Bleus
(Les secrets du divan rose; 8)
Pour les jeunes de 12 ans et plus.

ISBN 978-2-89595-604-4

    I. Titre. II. Collection: Descheneaux, Nadine, 1977-   . Secrets du
divan rose; 8.

PS8607.E757A86 2012   jC843'.6   C2011-942468-1
PS9607.E757A86 2012

Auteure: Nadine Descheneaux
Illustration de la couverture: Jacques Laplante
Graphisme: Julie Deschênes et Mika

La typographie utilisée pour la création de la signature
de cette série est la propriété de Margarete Antonio.
Tous droits réservés.

Dépôt légal – Bibliothèque et Archives nationales du Québec,
1ᵉʳ trimestre 2012

ISBN 978-2-89595-604-4

Gouvernement du Québec – Programme de crédit d'impôt
pour l'édition de livres – Gestion SODEC
Boomerang éditeur jeunesse remercie la SODEC
pour l'aide accordée à son programme éditorial.

Nous reconnaissons l'aide financière
du gouvernement du Canada par
l'entremise du Fonds du livre du Canada
(FLC) pour nos activités d'édition.

Imprimé au Canada

Les deux mots les plus brefs
et les plus anciens, oui et non,
sont ceux qui exigent le plus de réflexion.
Pythagore

Pour Evelyn.
Pour l'amitié spontanée, simple,
vraie et sans artifice.

La dégringolade

BANG! BANG! BANG! Je garroche mes livres dans mon sac d'école avec hargne. On est vendredi après-midi, les cours sont finis, et pourtant je n'ai aucune envie de sourire. Aucune trace de bonne humeur sur mon visage. Je marmonne en faisant un tri dans mes cartables et mes cahiers.

« J'haïs les mathématiques », dis-je en serrant les dents, mais ça ne me soulage même pas. Mon cours de sciences, lui, me donne mal au cœur, surtout quand je sais que j'ai trois chapitres en retard à lire d'ici lundi matin. Et puis, je suis acculée au pied du mur en français. Je ne peux plus repousser le moment où je devrai fixer mon choix à propos de mon exposé oral. Je n'arrive pas à me brancher sur le sujet. J'hésite. Je choisis. Je change d'idée. Je re-hésite. Un éternel recommencement !

Pfff ! Je suis découragée. C'est plutôt rare ! Habituellement, en tant qu'optimiste endurcie, je suis celle qui remonte le moral de tout le monde. Mais là, je dois l'admettre, je frôle la catastrophe. Non, je ne la frôle même pas. En fait, elle est juste devant moi et j'ai déjà un pied dedans. Je n'ai jamais pris autant de retard dans mes travaux scolaires. Jamais. J'ai aussi eu les plus poches notes de ma vie. Ce n'est pas la fin du monde, mais je ne me reconnais pas. Ce n'est pas moi ! Habituellement, je suis plutôt fière et orgueuilleuse. J'aime voir mon % grimper dans les hauteurs comme un thermomètre annonçant une fièvre brûlante. Ou – ça dépend des profs – j'aime mieux avoir une voyelle (celle que mon prénom ne contient pas... surtout pas celle qui y revient trois fois !).

Je n'aime pas du tout me vanter que je suis bonne à l'école (Non ! Ce n'est pas mon genre du tout !), mais « être poche » pour paraître cool, je trouve ça nul. J'aime mieux collectionner les notes correctes, honnêtes et... possiblement très bonnes. Sauf qu'hier après-midi, mon orgueil en a pris un coup ! Tout un, même ! Monsieur Sylvain, le prof de maths, nous a remis notre dernier contrôle. Quand il a dit mon nom, son ton grave m'a indiqué qu'il y avait un problème. Il a posé sur moi un regard lourd de questions lorsque je me suis levée pour récupérer ma copie. Arrivée devant lui, j'ai senti un poids sur mes épaules. Il a retenu les feuilles dans ses mains quelques secondes, le temps que je capte son message non verbal : « Mais qu'est-ce qui t'arrive ? » Donc, avant même que je regarde mon contrôle, je savais que j'avais coulé. À pic. Je ne me suis pas trompée. Douche froide. Secousse. C'est la cata !

J'exagère peut-être un peu. Je dramatise comme Rosalie sait si bien le faire. Mes retards ne sont pas irrécupérables, mais on dirait que je pédale dans le vide. Je ne rattrape pas mon retard. Je nage que pour me sortir la tête de l'eau. Je fais du surplace, je suis figée, presque immobile. Je me fatigue dix fois plus vite pour rien et ça me fâche! Ce n'est pas moi.

Ma mère ne me reconnaît plus non plus. D'un côté, elle craint que je commence la «vraie de vraie» adolescence – changement de caractère, petites et grandes rébellions, les insolences, risque de décrochage, etc. –, et de l'autre, elle s'inquiète parce qu'elle suspecte un réel problème de santé ou une trop grosse émotion qui me perturberait totalement. Elle est comme ça ! De nature archi-anxieuse! Elle a toujours la main au-dessus de son bouton « panique ». Surtout quand il s'agit de moi. Dans son esprit hyperactif (tiens, on se demande de qui je tiens...), elle a dû imaginer que je subissais les symptômes d'un rhume, d'une grippe, d'une petite dépression ou d'une mononucléose latente. Elle a probablement émis l'hypothèse d'une peine d'amour, d'une chicane avec mes amies, d'un problème d'intimidation ou de rejet, de difficultés d'adaptation au secondaire, d'un malentendu avec un professeur, etc.

L'ennui, c'est que je ne sais pas moi-même ce qui m'arrive. Je ne peux vraiment pas poser un diagnostic sur mon sort. J'aime mon école. J'aime mes amies. Aucun souci avec mes professeurs. Je n'ai pas de problèmes apparents. Je me demande comment j'ai fait pour en arriver là. Hier, j'ai passé une bonne partie de ma soirée sur mon divan rose. Il est toujours là, par chance. C'est mon refuge pour m'extirper de ma vie et la voir d'un autre angle. Sur mon divan, je suis bien. Tout simplement ! C'est MA place pour retrouver le sentiment que tout va bien aller… C'est MON lieu privilégié quand j'ai besoin de réconfort! J'ai tourné et retourné la question dans ma tête des milliers de fois. Des millions, même. Depuis quelques semaines, je savais bien qu'il y avait un problème avec mes devoirs non faits et mes retards dans mes études, sauf que je ne faisais rien de vraiment concret pour que ça change. Ce n'est pas de ma faute, des fois, je suis comme cela: j'espère que tout redevienne correct, comme par magie. Peut-être que je crois encore aux contes de fées ou au génie qui sort de sa lampe en se contorsionnant!

Pas de génie ni de bonne fée pour m'aider ! Mon retour sur terre, les deux pieds dans la réalité, a été brutal et précipité. En recevant ma note en mathématiques, j'ai fait un atterrissage forcé plutôt violent. En fait, j'ai été si secouée que je me suis enfin réveillée. Finie la torpeur! Finie l'impression d'être figée dans une impasse. Cette note désastreuse m'a remise en action. Il faut que ça change !

Bon, je dois avouer que je l'ai peut-être un peu cherché. Juste un peu. OK ! Peut-être beaucoup.

J'ai toujours mille projets bouillonnants en tête. C'est moi tout craché, ça ! J'ai passé beaucoup de temps au journal étudiant, j'ai suivi l'équipe de basket, j'ai soutenu Zoé quand sa mère a été malade[1], j'ai aidé Emma dans la confection de cupcakes, j'ai remonté le moral à Rosalie, j'ai gardé les enfants des voisins (et j'écoutais des films en fin de soirée au lieu de faire mes devoirs !), j'ai accepté de donner un coup de main au comité Enviro-Vert et j'ai suivi une formation en photographie durant tout un week-end à l'école. Un agenda plus que rempli... sauf que je n'ai pas d'agenda.

---

1. Lire le 7e tome de la série – *Un vrai casse-tête*.

Mon fouillis mental explique sûrement mes retards catastrophiques. Eh oui, j'ai cru que je pouvais me passer d'un bon vieil agenda papier. Celui donné par l'école, je l'ai à peine utilisé. Il est tellement laid. Plate. Gris. Moche. Ordinaire. Il faudrait que je colle des images dessus pour lui donner un semblant de « oumpf ». En attendant, j'ai découvert un site Web tout simplement génial qui se nomme *Jour+* : je peux y compiler tout ce qu'on retrouve habituellement dans un agenda traditionnel. C'est bien plus cool ainsi ! J'y inscris mes devoirs, mes listes de choses à faire (et celles à ne pas oublier !), l'horaire des émissions à suivre, des notes (ne pas oublier mes vêtements de gym, réunion du comité Enviro-Vert, rapporter les livres à la biblio...), les anniversaires de ceux que j'aime, etc. Je peux même jumeler ce que j'ai à faire avec un site Internet connexe (exemple: « terminer mon devoir de maths » est lié à un site qui nous aide en mathématiques !). Super ! Sauf qu'au lieu de m'améliorer en maths, je me retrouve à fouiner dans mille sites autres que celui suggéré. On le sait bien : 1 clic + 1 clic = 10 000 clics. Bref, mon ordinateur, qui était en voie de devenir mon meilleur ami côté planification, s'est transformé en un véritable monstre qui dévore tout mon temps sans même que je m'en aperçoive. C'est vrai ! Une minute, je vérifie mes devoirs et *ziouuup*, me voilà une heure et demie plus tard en train de fureter et de lire des articles d'un journal de choses insolites ! Et je me retrouve en déficit de secondes dans mes minutes, de minutes dans mes heures, d'heures dans mes journées et ainsi de suite.

Même si je suis essoufflée – parce que les retards, ça épuise –, je dois trouver le moyen de changer la donne. En fait, j'y suis un peu obligée. Parce que j'ai échoué à mon examen de maths, j'ai dû le faire signer par ma mère. La honte! Et en plus, je savais qu'elle paniquerait un peu. Quand elle a saisi mon examen, elle m'a fait de gros yeux, mais n'a rien dit. Ça, c'est pire que tout. Elle est restée là, comme une statue, et elle a attendu. En silence. C'est insuuuuuuupportable! Comme je ne bougeais pas et ne disais rien non plus, elle s'est mise à faire cliqueter son stylo entre ses doigts. Ça aussi, c'est insupportable! Un vrai supplice. J'avais compris. Elle voulait que je m'explique et je savais qu'elle continuerait son manège jusqu'à ce que je flanche. Je connais trop ma mère. Elle n'aurait pas signé tant que je ne lui aurais pas énuméré les raisons de cette note désastreuse. Au fond d'elle, je sais que ce n'est pas vraiment la note qui l'énervait. Elle devait même être assez contente de voir que « mes problèmes » n'étaient que d'ordre scolaire, mais elle n'aimait pas trop le fait de ne pas avoir été tenue au courant ! Entre elle et moi, c'est la sincérité et l'ouverture. Je ne pense pas me tromper en disant qu'elle s'est sentie mise de côté. Elle aurait sans doute voulu que je la prévienne pour qu'elle puisse m'aider, mais ça ne me tentait pas de lui expliquer. Je ne suis quand même plus un bébé. Mais bon, comme elle semblait avoir l'éternité devant elle pour entendre mes explications tout en continuant de faire du bruit avec son stylo, je me suis décidée à tout déballer. Grrrrr ! Pas le choix !

Disons qu'elle n'a pas fait trop de commentaires, mais elle a émis une seule consigne claire et sans équivoque. Je dois me ressaisir. « Je ne ferai pas tes devoirs à ta place, Frédérique ! Moi, je l'ai fini, mon secondaire. Tu dois te trouver un moyen d'y parvenir. Ce n'est pas à moi de le faire pour toi. Mais je peux t'aider d'une seule manière à rattraper ton retard... Cette fin de semaine, pas de sorties, pas de pizzadredis, pas de magasinage, pas de télé, pas de téléphone, pas de cours spéciaux! À la maison! Et tu travailles!»

Humpf! Je savais au fond de moi – très, très loin au fond de moi – que c'était la seule façon de parvenir à me sortir la tête de l'eau, mais c'est tellement plate! Teeeeeelleeeeement! Mon côté «petit diable» est en colère. Il a le goût de répliquer et de se rebeller. Mon côté «petit ange» me dit de me résigner... Si ce n'était que ma décision personnelle, je pourrais laisser ces deux parts de moi argumenter dans ma tête. Mais là, la cheffe, c'est ma mère. De toute façon, elle va me surveiller, alors je n'ai pas vraiment le choix! Mieux vaut me faire à l'idée: cette fin de semaine, je reste à la maison. Je me mets «non disponible» pour tout le monde jusqu'à dimanche soir. J'ai averti mes amies ce matin. Elles sont déçues. On avait repris notre habitude du pizzadredi sur mon divan. Surtout qu'on pouvait regarder l'émission *Les X de la musique* – qui présente pendant 12 semaines les débuts d'un tout nouveau groupe rock formé de trois gars juste un peu plus vieux que nous ! – avant de décider ce qu'on ferait du reste de notre soirée. Mais voilà que je dois annuler notre rencontre hebdomadaire. « C'est la faute de ma mère ! C'est elle qui refuse ! » dis-je à mes amies, même si je sais (au fond de moi !) que c'est ma faute à moi.

Ça me rend triste. J'aime retrouver mes trois meilleures amies dans ma chambre pour jaser jusque tard le soir ! Écouter un film, potiner, raconter nos secrets, faire des projets fous, nous imaginer riches et célèbres, planifiant un super voyage au bord de la plage ou n'importe quoi. C'est un moment trop génial !

Une pause dans toutes nos activités. Cette année, on est vraiment très occupées et on n'a pas tous nos cours ensemble, alors juste le fait de savoir qu'on va se retrouver le vendredi soir pour se parler de nos vies, c'est rassurant. On n'a pas besoin de courir tout le temps dans l'école pour se retrouver. On accumule les choses à se dire, les anecdotes croustillantes, et le vendredi, on « explose » en paroles !

Mais pas cette semaine. Pause placotage forcée. J'ai envie de bouder. Oui, comme quand j'étais petite et que ma mère me disait non pour un huitième bonbon. Je me sens comme si j'avais six ans. Je me sens «privée». Oh! Selon ma mère, ce n'est pas une punition. Moi, franchement, je trouve que ça y ressemble pas mal! On dirait que je vais manquer quelque chose. Mes amies vont peut-être se voir quand même. Pourquoi ne le feraient-elles pas ? Elles en ont amplement le droit. Ce n'est pas parce que j'annule le pizzadredi ici qu'elles ne peuvent pas le tenir ailleurs. Elles n'auraient qu'à détourner un peu notre tradition et se rencontrer dans le sous-sol chez Emma, par exemple. Je n'arrive pas à savoir si je suis fâchée à l'idée qu'elles y aillent sans moi, si je suis triste de rater tout cela ou si je m'en veux de devoir rattraper mes retards. Un beau méli-mélo dans ma tête! Aaaaah!

En marchant vers la maison, mon sac ultra-rempli d'une tonne et demie de devoirs, je brasse toutes ces émotions dans ma tête et j'essaie d'y voir plus clair. Je n'y arrive pas. Je suis tellement fatiguée que c'est un effort supplémentaire pour mon cerveau un peu en compote. Je continue de « faire la baboune » en donnant des coups de pied dans tous les cailloux qui se trouvent sur mon passage. Je pense que je suis fâchée... après moi! C'est de ma faute si j'en suis arrivée à annuler ce que j'aime le plus parce que je n'ai pas fait mes devoirs. Pas facile à avouer, mais c'est cela ! Un énorme soupir allège un peu mon cœur. Je me résigne... en babounant encore un brin.

Quand j'arrive à la maison, ma résignation toute fraîche se met à flancher. Ce sera le piiiiiiiiire vendredi soir de ma vie, ça c'est certain. En voyant le téléphone, j'ai juste envie d'oublier mes bonnes intentions, de supplier ma mère à genoux et d'appeler mes amies... Je ne le fais pas. Trop orgueilleuse ! J'entends trop bien dans ma tête ce que ma mère dirait. Et franchement, ça ne me tente pas une seconde de subir son discours. Je sais qu'elle m'a épargnée hier soir, mais si j'ose déroger à ce qu'elle a prévu, elle ne me ménagera pas !

Pour me changer les idées, je saute dans un bain. Tous mes muscles sont endoloris. Je craque de partout. L'eau chaude me fera du bien. Cet automne, j'ai appris que me plonger dans un bain me permet d'éclaircir mes idées[2]. J'en ai bien besoin...

Au secours! Mon bain a ramolli mes muscles et a sapé toute mon énergie. Vraiment, je me sens complètement à terre. Fatiguée. Vannée. Épuisée. Tous les synonymes sont bons. Ma mère cogne à la porte, craignant probablement que je me sois endormie dans l'eau.

— Prête pour rattraper tes retards, Frédou?

Tiens, elle m'appelle à nouveau Frédou. Il y a de l'espoir. Elle n'est pas vraiment fâchée. Sûrement plus inquiète. C'est une caractéristique universelle de toutes les mères!

— Moui...

— Oh! T'as l'air convaincue!

Euh! C'est que je ne ferai pas de pirouettes ni de danse de la joie. Je m'apprête à vivre le plus poche vendredi

---

2. Lire le 7e tome de la série – *Un vrai casse-tête.*

soir de ma vie, du monde, de toute l'histoire et probablement de l'humanité. Mes prochaines heures, je vais les passer à bosser sur mes travaux, à réviser et à lire jusqu'à m'en arracher les yeux. Non, désolée! Je ne peux pas exploser de bonheur. Ma «baboune» est encore là, tout près. Pas très loin, même! Je n'ai pas besoin qu'on vienne me faire la leçon! J'ai envie de répliquer à ma mère, mais je pense que c'est mieux pour tout le monde que je m'éclipse dans ma chambre en me traînant les pieds, tout emmitouflée dans ma robe de chambre. Je ne suis pas vraiment d'humeur. Elle va sûrement passer sa soirée avec son amoureux, pendant que je me terrerai sur mon divan rose. Je n'ai envie de voir personne! Mon divan sera mon nid pour le week-end! Au moins, il reste là. Fidèle même dans ma tourmente.

À contrecœur, je m'y installe. J'approche la petite table basse et je pose mon ordi dessus. Puis, non, je change d'idée et préfère le laisser sur mon bureau. Loin de moi. Je n'en ai pas besoin pour l'instant et il risque d'être une source de distraction. En me ras-soyant sur mon divan, je me surprends à sourire. Je crois même qu'une petite lumière est apparue dans mes yeux. Mon divan me rappelle mes amies. C'est un peu comme si elles étaient là. Comme si on n'était pas vraiment séparées. Ça me fait du bien de penser que mon divan me transmet leur énergie... Et qu'elles pensent à moi aussi! C'est une microsco-pique consolation! J'aime bien y croire même si je sais que c'est impossible... Et puis, pourquoi pas, après tout!

Du coup, je profite de ce souffle d'énergie pour sortir mes livres et mes crayons. Je prépare la liste de tout ce que je dois faire durant le week-end. Outch! Ça fait peur! Ça donne même le vertige. Seul point positif: pas de risque d'oublier quelque chose, tout y est! Je soupire bruyamment en contemplant la planification des prochaines 48 heures. Ma fatigue me rattrape, elle aussi. J'ai le goût de pleurer!

Je me ressaisis. Vite! Je dois faire quelque chose. N'importe quoi. Pour me montrer que je suis capable. Pour m'encourager, aussi. Je n'ai pas vraiment le temps de verser des larmes de désespoir. Non, je ne vois ça nulle part sur mon horaire! Mais j'ai besoin de rayer quelque chose de ma liste, il le faut!

Ah! Je sais! Je me lève d'un bond. Je plonge le nez dans le petit bac de recyclage en dessous de mon bureau. Super! Je ne l'avais pas vidé (si je n'ai pas eu le temps de faire mes exercices de maths, je n'ai certainement pas eu le temps de m'occuper de mon recyclage!). J'en sors mon agenda scolaire... C'est mon premier pas! Un retour en arrière nécessaire pour mieux avancer, je crois. Des fois, ça arrive, de se tromper...

L'annonce de Rosalie

Mon bras droit souffre le martyre. J'ai tellement écrit. Mes épaules sont toutes crispées. J'ai travaillé si long-temps à l'ordi. Mes yeux me piquent. J'ai lu des dizaines de chapitres. Je suis en morceaux. Mon cerveau, lui, est encore en ébullition. Depuis presque 36 heures qu'il est en marche, presque sans arrêt. Il y a un décalage entre mon esprit et mon corps, mais j'ai réussi. C'est le plus important.

Il est précisément 19 h 07, dimanche soir, et je sors d'une douche brûlante. Juste avant d'y sauter, j'ai rayé le tout dernier devoir qu'il me restait à faire. Incroyable mais vrai : j'ai passé à tra-vers toute ma liste. TOUTE. T.O.U.T.E.

Je ressens une gigantesque bouffée de fierté et de soulagement. Finis les retards ! J'ai vaincu mon ennemi !

Des doutes, j'en ai eu une tonne. Surtout quand, vendredi soir après avoir récupéré mon vieil agenda, je me suis complètement endormie sur mon divan. Je me suis réveillée en pleine nuit, la face dans les pages de décembre, sûrement en train de rêver aux deux semaines de vacances. J'ai ressenti un petit vent de panique. Je m'étais endormie... à 18 h ? 18 h 30 ? Je n'avais même pas soupé ! Je me suis levée pour faire un double détour : salle de bain et cuisine. Urgence pipi et faim incontrôlable. J'ai englouti une banane et un verre de lait et suis allée me recoucher. Je n'allais quand même pas travailler à cette heure ! Il ne faut pas exagérer. Et puis, mes yeux se fermaient tout seuls. Je n'aurais pas été capable ! Je me suis rendormie illico, mais avant même les premiers rayons de soleil, j'étais réveillée. De bonne humeur. En forme. Énergisée par ces 13 heures de sommeil. Sans tarder, j'ai plongé le nez dans mes devoirs. Ma mère m'a apporté un gros déjeuner. J'ai débranché le téléphone dans ma chambre pour être certaine de ne pas entendre les appels de mes amies et j'ai laissé à ma mère le soin de filtrer le tout. J'ai même dîné et soupé dans ma chambre pour ne pas entre-couper mon élan de rattrapage de retard ! Je n'ai ouvert ni Internet ni la télévision jusqu'à 20 h. Un véritable supplice ! Et quand j'ai fermé mes livres pour la soirée... je me suis effondrée sur mon divan et me suis endormie en moins d'une minute. Je bats tous les records !

Dimanche, exactement le même scénario. Lever super tôt et travail toute la journée sans grandes pauses. Un peu excessif, mais c'était nécessaire ! Une chose est claire, je ne ferai pas cela toutes les fins de semaine. Idéalement, j'aimerais mieux ne jamais refaire cela du tout. Jamais. C'est tellement poche quand même de se sentir en dehors du monde, loin de ses amies, même pas liée par Internet ou le téléphone ! Tantôt, avant ma douche, ma mère m'a dit, avec un petit air taquin, que Rosalie avait appelé huit fois. HUIT FOIS ! Ça m'a fait sourire. Elle savait que j'étais en retraite fermée, mais elle a essayé quand même. C'est elle tout craché ! Emma et Zoé sont plus réservées. Elles auraient eu peur de déranger ma mère trop souvent et de paraître insistantes. Rosalie, ça ne l'arrête pas ! Loin de là : elle espérait sûrement que ma mère, n'en pouvant plus de ses appels, flanche et me passe le combiné. Erreur ! Ma mère est aussi têtue que mon amie !

Juste le temps de prendre mes courriels et je rappelle Rosalie, sinon elle va m'en vouloir. Je me demande ce qu'elle veut me dire de si urgent. En fait, il n'y a probablement rien du tout, elle veut sûrement s'assurer que je suis encore bien vivante. Ou peut-être me raconter un petit potin d'école, puisque j'ai raté notre rendez-vous du vendredi. On verra bien ! Oups ! 11 courriels... tous de Rosalie ! Il se passe quelque chose. Je sens une panique enserrer mon cœur, comme un fil de laine qui s'enroule autour de lui et l'étouffe un peu plus chaque tour. Je me précipite sur le téléphone. Pendant que sa mère me répond et m'apprend que Rosalie est sortie, j'entends la sonnette de la porte d'entrée retentir et... la voix de Rosalie qui s'élève. Oh ! Ma déception n'a pas été trop longue, voilà mon amie ! Je n'ai même pas eu le temps de raccrocher le téléphone que Rosalie entre dans ma chambre comme un coup de vent. Un méchant coup de vent. Une tornade, presque. Elle saute sur le divan à côté de moi et, évidemment, c'est elle qui parle la première.

— Enfiiiiiiiiiiiiiiiin! Je n'en pouvais plus! Je devais absooooooooooooolument te parler! C'est trop génial! Ma vie, Fred, ma vie va changer. C'est juste trop incroyable! Trop merveilleux! Trop génial! Trop top! Trop tout! Tu ne peux pas savoir..., s'exclame-t-elle en déposant un journal sur ses genoux pour mieux saisir mes mains comme si elle voulait me transmettre son extase.

Ça, c'est l'effet dramatique de Rosalie. À l'état pur! Avec ses talents de grande comédienne! Évidemment, je ne comprends rien à son charabia. J'ai vraiment hâte de savoir ce qui a bien pu se passer. On s'est pourtant vues à la sortie de l'école vendredi et elle avait l'air d'une Rosalie assez normale. Contente d'être arrivée à la fin de semaine, même si elle était un peu triste qu'on ne fasse pas notre pizzadredi! Mais là, c'est une tout autre fille qui est devant moi. Ses cheveux sont en bataille et tout humides... Il doit pleuvoir dehors, car je n'en sais rien, je n'y ai pas mis le nez. Mais ce n'est pas son genre de sortir sans prendre le temps de bien les coiffer et d'effectuer la mise en pli de son toupet savamment déposé sur son front. PING! Ses yeux pétillent plus que les feux de Bengale qu'on dépose sur les gâteaux d'anniversaire! PING! PING! Ses pommettes sont ultra-roses et rebondies. Elle a dû afficher pendant tout le week-end le sourire dévastateur qu'elle a présentement! Bref, on voit tout de suite qu'elle est sur le point d'exploser de bonheur! Et je sais qu'elle est excitée au maximum, car elle gesticule frénétiquement en parlant et prend un malin plaisir à me faire languir un peu. Mais qu'est-ce qui a bien pu la métamorphoser ainsi? Et pourquoi dit-elle que sa vie va être transformée? Je n'ai pas le temps d'ouvrir la bouche qu'elle repart de plus belle!

— Fred ! Fred ! Fred ! Regarde ça ! Regarde ! ! Tu en penses quoi ? demande-t-elle en brandissant le journal sous mes yeux. En fait, elle le place tellement proche que je ne vois rien du tout.

— On se calme, Rosalie ! Je ne comprends rien ! T'es tellement énervée !

— Je saiiiiiiiiiis ! Ça fait deux jours que j'attends pour t'en parler. Tu n'as même pas répondu à mes courriels, lance-t-elle sur un ton de reproche.

— Euh ! Rosalie ! Tu le sais bien ! J'étais en retraite fermée ! Ma mère me surveillait. Je ne pouvais pas être dérangée. Plate, mais c'est ça ! Arrête de faire comme si tu boudais, tu meurs d'envie de me dire pourquoi ta vie va changer. Qu'est-ce qui se passe ?

— Tu as écouté l'émission *Les X de la musique* vendredi soir ? Je peux pas croire que tu n'as rien compris. Tu n'as pas allumé ?

— Rosalie, qu'est-ce que tu ne saisis pas ? Punition = pas de télé non plus ! Racoooooonte ! J'en peux plus !

— Ohhhhh ! Terrible ! Alors, je te raconte tout. Parce que ta vie à TOI aussi va changer. On va devenir ultra-populaires ! On va sûrement passer à la télé. On va être des vedettes !

— Tu oublies sûrement quelque chose. Si c'est pour un concours de talents, moi je chante comme une casserole ! C'est quoi, ton concours ?

— Non ! Ah ! T'as vraiment rien vu et entendu ! Incroyable !

C'est mon amie, mais elle commence à me taper sur les nerfs à force d'étirer le temps et d'abuser de ma patience. Ça suffit ! Go ! Déballe ton sac !

Enfin, elle se décide !

— À l'émission *Les X de la musique*, tu sais comme les gars sont beaux ! Le guitariste-chanteur me fait littéralement capoter. Il a de ces yeux ! Emma préfère

Samuel, le bassiste. Moi, perso, je trouve qu'il a l'air trop gêné. Il est plus effacé, tandis que Gab, mon préféré, est vraiment plus hot. On ne voit que lui dans le trio. Il danse super bien en plus de chanter avec une voix un peu rauque. J'en ai la chair de poule ! Zoé, elle, hésite entre Gab et Arthur, celui qui joue de la batterie. Personnellement, je trouve que tu ne peux pas t'appeler Arthur et jouer de cet instrument. Il aurait dû changer de nom, mais bon, c'est son problème. Donc il y a un énoooorme concours avec les écoles. Et c'est super facile ! Ben, pour toi ! Tu vas pouvoir faire gagner notre école, c'est certain !

— Moi ?

— Ben oui, toi ! Fred, tu ne peux pas dire non ! On va passer dans le journal avec cela. On va sûrement se voir à la télévision ! Tu imagines ! C'est le début de tout ! On va devenir célèbres !

Plus Rosalie parle, moins je saisis. Elle donne trop de détails et prend mille détours. La seule chose qui soit claire, c'est qu'elle remet entre mes mains son rêve de devenir populaire et de passer à la télévision. Tout à coup, j'ai un petit vertige.

— Mais pourquoi moi ? Je dois faire quoi ? Explique !

— Ultra-facile ! Ben, pour toi, là ! Il y a un grand concours, et tout ce qu'on doit faire, c'est de trouver un nom pour leur groupe ! Je m'en doutais qu'ils ne s'appelleraient pas toujours les X ! Ce n'est pas vraiment un nom ! Surtout pour un groupe hot comme eux ! Bref, on a jusqu'à jeudi pour leur trouver un nom et le soumettre par Internet. Vendredi prochain, en direct à l'émission, l'animateur va annoncer le nom choisi et les ex-X vont aller faire un miniconcert à l'école du gagnant le lundi suivant. Je te le dis, Fred, je sens qu'on va gagner.

Tu es super habile avec les mots et les idées. Tu vas trouver cela facilement ! Allez, dis oui ! Dis oui ! !

Yahouuuuu ! J'aime les X aussi. J'ai manqué l'émission de vendredi. J'y ai pensé, bien sûr, mais étant moins maniaque que Rosalie, j'ai bien survécu à la chose. Je me suis dit que mes amies me raconteraient ce qui s'est passé lundi à l'école. Moi, au contraire de Rosalie, je ne rêve pas vraiment de devenir ultra-populaire, même si ce serait trippant d'accueillir un vrai de vrai groupe de musique – et surtout les X ! – dans notre gymnase. Il le ferait vibrer au maximum avec leur musique rock un peu punk ! Ça déménage pas mal, leur groupe ! Et c'est vrai qu'ils sont assez beaux !

Disons que ça fait un peu rêver, ce concours-là ! Et qui sait ? Je pourrais peut-être faire une entrevue avec eux si l'école gagne ! Les idées se mettent à tourbillonner dans ma tête tout à coup !

Mon corps reprend vie. Une nouvelle sève monte en moi et se disperse partout ! Ça y est ! Rosalie m'a transmis son excitation !

— C'est sûr que je dis oui ! C'est trippant ! J'ai manqué l'épisode vendredi, mais je vais l'écouter sur Internet pour être sûre de tout comprendre du concours.

— Facile ! Tu trouves le nom et le lundi midi suivant, le groupe débarque à l'école ! Ça va te prendre deux minutes pour trouver un nom cool, toi !

— N'exagère pas, quand même !

— Pour moi, c'est méga difficile ! Tout ce qui me vient en tête, ce sont des noms trop ordinaires comme Le trio cool ou Les Extra. Toi, je suis certaine que tu vas dénicher quelque chose de surprenant ! Les gens vont dire « Wow ! » et on va gagner, et en même temps... pouf ! Ma vie sera métamorphosée. Comme Cendrillon après la rencontre avec sa fée marraine. Je vais rencontrer le producteur de l'émission, peut-être chanter avec le groupe, me faire photographier avec chacun des membres et surtout me coller sur le beau Gab!

Dilemme en moi. J'ai le goût d'être méga énervée et emballée par ce concours. Rosalie est vraiment convaincante! Ce n'est pas compliqué, ça ne me prendra pas trop de temps et c'est vrai qu'on a des chances. J'y crois! J'ai souvent d'excellentes idées. Mais je ne suis sûrement pas la seule fille douée de toute la province! Je ne suis pas si exceptionnelle que ça! Cependant, une amie comme Rosalie, je doute qu'il y en ait beaucoup! Elle a le don de me motiver et de me faire croire que je suis totalement LA personne qu'il lui faut pour gagner le concours et la mettre sous les projecteurs pour commencer sa nouvelle vie! Elle rêve depuis toujours de devenir une vedette, d'en connaître une ou du moins de faire une apparition, aussi minime soit-elle, à la télé.

J'ai dit oui à son projet fou. Je ne pouvais pas lui refuser cette chance, même petite, de croire qu'elle allait toucher son rêve du bout des doigts. Rosalie passe la demi-heure suivante à parler des X, de leur musique et de l'émission de vendredi dernier. Le tout entremêlé de ses projets de future vedette. Difficile de ne pas être emportée par son tourbillon ! Juste avant qu'elle parte, je me surprends à croire aussi à ses scénarios... pour moi. Je vois la limousine, le chauffeur privé, le garde-robe plein à craquer, les tournages de vidéoclips, les apparitions dans des émissions de télé, les entrevues à la radio, les invitations aux premières de tous les spectacles d'artistes à la mode, le tapis rouge, les séances photo pour différents magazines... On dirait que Rosalie m'a hypnotisée en parlant autant. Elle n'a pas arrêté une seconde. J'en suis tout étourdie.

— Bon! Je te laisse! Il faut que tu te reposes, mon écrivaine préférée! Je vais veiller personnellement à ce que tu sois en super forme toute la semaine, car tu dois me trouver LE bon nom. Ensuite, on aura notre passeport direct vers notre nouvelle vie... Je te laisse le journal avec les infos sur le concours et la photo des X. Qui sait comment tout cela pourra t'inspirer! m'encourage-t-elle en me bordant sur mon divan.

Une fois qu'elle est partie, j'ai un frisson et je sens une tonne de fatigue me tomber dessus. La séance d'hypnose est terminée. Je grimace un peu. Être une grande vedette, méga populaire? Ce n'est pas moi. Mais ça ne m'empêche pas de vouloir aider Rosalie et d'espérer gagner. Rencontrer les membres des X, ressentir la fierté d'avoir choisi leur nom, voir comment se déroule un enregistrement d'une émission de télé et assister à une de leurs prestations, ce serait fantastique ! Top ! Moi, c'est ce qui me fait tripper, je pense !

Idées demandées

Évidemment, je me suis endormie sur mon divan. À mon réveil, mes yeux s'ouvrent directement sur la photo du journal laissé par Rosalie. On y voit les trois gars des X qui jouent sur le toit d'une maison sous un ciel bleu-noir gigantesque et quelques étoiles discrètes. Oh! Je me lève en vitesse pour prendre un petit cahier et y noter des idées. Je vide deux tiroirs sans rien trouver. Je me rabats sur... mon agenda! Ce n'est pas une si mauvaise idée. Il me suivra partout, désormais, et j'y compilerai au fur et à mesure les idées qui jailliront autour de moi. En mode capture, voilà comment je suis! Je note donc les mots: TOIT NUIT NOIR BLEU ÉTOILES.

Peut-être que ça ne me servira à rien, mais peut-être que ce sera l'idée qui déclenchera LE vrai flash! Pas le temps de juger les idées, là, il faut seulement les attraper.

Ma journée à l'école file à la vitesse d'un éclair. Entre les cours et les examens (dont celui de sciences qui, je pense, s'est bien déroulé!), j'entends quand même plusieurs dizaines de personnes parler du grand concours des X de la musique. Ça semble sur toutes les lèvres. Même à la bibliothèque, où je me réfugie pour étudier durant le dîner, je capte des bribes de conversations tournant autour du nom à trouver!

Puis bang! Déjà 15 h 50! Il est temps de partir. Pas question de bretter non plus; j'ai promis à ma mère d'être de retour à la maison dès la fin des classes. Dommage, car j'ai entendu dire qu'on préparait un spectacle ou un concours. J'aurais aimé courir au local du journal étudiant pour savoir ce que c'est, mais une promesse, c'est une promesse. Et je ne veux pas m'attirer les foudres de ma mère. En effet, même si j'affiche la meilleure volonté du monde, elle doute encore. Elle veut que je lui montre mon agenda chaque soir. Un peu plus et elle va le signer quand j'aurai fini mes devoirs. Ou pire, elle va me mettre un autocollant avec un petit cœur ou un tampon « Bravo ! » pour me récompenser. Franchement, je ne suis plus un bébé ! En fait, elle dit que c'est pour mon bien qu'elle fait cela parce qu'elle ne veut plus que j'accumule de retard. Aucune chance de la faire changer d'idée ! Je perdrais mon temps. Elle restera sur sa position. Je dois donc subir une semaine de devoirs surveillés et un couvre-feu après l'école. Question de retrouver mes bonnes habitudes, supposément. C'est encore elle qui le dit, bien sûr !

À la maison, en ouvrant mon agenda, je réalise que je n'ai capturé aucune idée. Mis à part les cinq mots de ce **matin**, je n'ai rien ajouté. Mon cerveau est-il en panne ? En pause prolongée ? C'est presque impossible...

Tout à coup, j'ai peur. Et si je n'arrivais pas à trouver un nom assez original et surtout assez percutant pour retenir l'attention des juges et que, par le fait même, Rosalie passe à côté de son plus grand rêve ? Ce serait une vraie catastrophe ! Les idées, ça ne se commande pas. Ça s'invente, bien sûr. Mais des fois, ça se fait attendre. Suis-je en plein syndrome de la page blanche ? Ohhh ! Je n'aime pas ce feeling-là ! Pas du tout !

Je réussis à faire tous mes devoirs, bien qu'une petite roue tourne toujours dans ma tête. « Et si tu ne réussissais pas... Et si tu n'avais pas d'idée... Et si...

Et si... » Pas facile de rester concentrée. Une fois mon agenda bien vérifié par ma mère, j'ai le droit d'ouvrir mon ordinateur. Évidemment, Rosalie m'attendait pour chatter.

— Pis ?

— J'ai terminé mes devoirs.

— Non ! Le nom ? T'as trouvé ?

— Je ne suis pas certaine...

— Tu n'as rien, c'est cela ?

— Mouin... Mais on est juste lundi ! Ne capote pas. Je vais y arriver.

— J'espère... Tu veux que je t'aide ? Que je passe chez toi ?

— Non ! Il est déjà tard. Je devrais avoir trouvé quelques idées. On s'en parle demain, dac ?

— OK ! Mais si je t'en parlais, peut-être que ça réveillerait ton imagination.

— Ça va ! Ça va ! Je vais me débrouiller pour la réveiller toute seule. Promis.

— C'est quoi, les idées que tu as eues ?

— Ben, j'ai juste noté des mots.

— Juste des mots! Fred! Ça n'a pas d'allure! Je ne dormirai pas cette nuit... Juste des mots! Au secours! Fred, c'est important, ce concours-là!

— ON SE CALME! Je note tout ce qui me fait penser à eux et à la musique. C'est une technique que tous les grands écrivains utilisent! Et demain soir, je les mélangerai pour trouver LE bon nom! Promis, ta vie sera changée...

— Parfait! On se voit demain midi pour s'en reparler!

Mais qu'est-ce que je viens de dire là! Je lui ai inventé une théorie de l'écriture complètement farfelue. Chacun écrit à sa façon, il n'y a pas qu'un seul modèle à suivre. Je lui ai aussi fait la promesse de changer sa vie... J'ai le don d'exagérer, des fois!

Je sors mon agenda et je le fixe longuement. Rien de spécial ne se passe. J'ajoute quelques mots banals à ma liste: MUSIQUE GUITARE NOTES BATTERIE GUITARE BASSE PARTITION GARS

TRIO. Rien d'exceptionnel. N'importe qui aurait pu penser à cela ! Pffff ! C'est étrange quand même. Trouver un petit nom de rien du tout est plus compliqué que de faire une production écrite !

Je furète un peu sur le site Web des X. Il est rempli de photos. Les trois gars ensemble : dans un studio d'enregistrement, chantant sur le toit d'une maison, au même endroit prenant la pose sur un divan, sur scène, juste avant le début d'une émission, en plein milieu d'un boulevard, lors du tournage de leur premier vidéoclip, debout sur une voiture, etc. Je m'aperçois que c'est presque exclusivement des décors urbains. Je note : VILLE, URBAIN GRATTE-CIEL TRAFIC VOITURE BÉTON. Ça ne m'inspire pas vraiment, mais j'ai au moins l'impression de travailler un peu.

Je me couche en me disant que demain, ce sera différent...

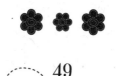

Étrangement, à mon réveil, tout est pareil. Il est clair aussi que mon cerveau a bloqué l'activité de mon imagination. Frustré que je l'aie trop fait travailler cette fin de semaine? Je ne sais pas.

Rosalie m'attrape par le bras quand la cloche du dîner résonne. Pas le choix de la suivre dans la salle étudiante! Et si j'ai le cerveau en compote, elle, elle semble plutôt hyperactive. C'est tellement étourdissant! On doit former un drôle de duo. Elle, la pétillante avec les yeux qui brillent. Moi, avec un air songeur, une brume autour de moi, les yeux scrutant les alentours à la recherche d'une idée, mon livre de sciences posé devant moi. Je veux m'avancer aussi dans mes lectures pour avoir plus de temps ce soir. Mais Rosalie parle tellement que j'ai de la misère. Elle est en mode explosion, moi en mode capture! Je ne l'écoute pas vraiment. J'ai mis sa voix en sourdine. J'entends un bourdonnement duquel sortent des mots comme « vedette », « populaire » et « célèbre », les trois obsessions de Rosalie. J'essaie de faire un bout de mon devoir de maths, tout en prenant des bouchées dans mon sandwich et en regardant autour de moi au cas où une idée passerait à toute vitesse. Rosalie ne comprend pas que j'ai besoin d'un peu de calme pour me concentrer. Pas de panique! Parfois, c'est lorsque je me retire dans ma tête, dans mon petit monde, que je deviens justement plus créative. Je me laisse donc envelopper par ce courant vaporeux...

— Tu m'écoutes, Fred?

La voix d'Emma! Je sursaute. Je ne l'avais pas entendue arriver! Pourtant, elle est assise juste à côté de moi avec Zoé.

— Fred est dans la lune, annonce Rosalie. Tant mieux, c'est supposément là qu'elle trouve ses meilleures idées!

Et j'en ai tellement besoin pour gagner le concours des X de la musique. Vous allez voir ! Fred va réussir !

— C'est vrai que ce serait cool que l'école gagne le concours ! J'aimerais bien voir le groupe lundi midi ! On serait tellement chanceuses ! Yahhouu !

— Euh, pas l'école... moi... Euh, bien, enfin, nous ! Fred et moi, je veux dire !

— Voyons, Rosalie ! C'est pas un concours personnel ! Le gagnant, c'est l'école ! Pas juste une personne, grogne Emma, visiblement mécontente.

— Beeeeen ! Oui, peut-être, mais c'est nous qui serions derrière tout cela. Donc c'est grâce à nous qu'on gagnerait ! On passerait à la télé, à la radio et peut-être même dans des magazines !

— Si tu veux, Rosalie... mais ce n'est pas de cela que je suis venue vous parler. Fred, tu n'es pas passée au local du journal étudiant hier. C'était la rencontre pour la préparation du grand concours de musique.

— Quoi ? Euh... je ne savais pas, dis-je un peu perplexe, en notant une pointe de scepticisme et de colère dans la voix d'Emma.

On dirait qu'elle est un peu exaspérée par les idées de grandeur de Rosalie. Je n'arrive pas à comprendre si elle est jalouse ou si elle trouve que Rosalie en fait un peu trop...

— Elle n'y est pas allée parce qu'elle était OCCUPÉE, hier soir, explique celle-ci en insistant sur chaque syllabe du mot « occupée ».

Tout cela me met un peu mal à l'aise... Je perçois une tension entre Rosalie et mes deux autres amies. Je n'aime pas cela.

— C'est vrai en quelque sorte ce que Rosalie dit... Ma mère m'oblige à revenir directement à la maison depuis qu'elle connaît mes problèmes de retard. Elle surveille tous mes devoirs! Elle se met même le nez dans mon agenda comme quand j'étais petite. C'est frustrant et assez gênant...

Je pousse un petit rire forcé. Je tente de détendre l'atmosphère, mais c'est clair que je n'y arrive pas.

— Frédérique! Je ne peux pas croire que tu vas passer à côté de ça. Il y a des affiches partout depuis hier matin. La directrice de l'école et le prof de musique ont décidé de lancer le concours «Nous aussi, on fait de la musique!». Ils en profitent, je pense, à cause de la grande popularité de l'émission *Les X de la musique*. Tout le monde ne parle que de ça partout. C'est presque exagéré, mais bon...

Elle lance un regard lourd de sous-entendus et rempli de petites flèches bien pointues à Rosalie. Je le savais! Il se passe réellement quelque chose entre elles... J'en ai perdu des bouts... Mais Emma braque à nouveau ses yeux dans les miens pour continuer à m'expliquer ce nouveau concours.

— Le seul critère est que tout ce qui est chanté, écrit ou joué doit provenir des élèves d'ici. Texte, musique, arrangements, et bien sûr interprétation : on est libre de faire ce qu'on veut... Il y aura un grand spectacle dans deux semaines. Et les participants pourront gagner différents prix comme des billets de spectacle, un iPad, une guitare électrique et des bons d'achat dans différents magasins. Génial, non ?

— Pfff, souffle Rosalie en levant les yeux au ciel.

Son manque d'intérêt n'échappe à personne. Je suis étourdie à force de suivre ce qu'Emma me dit tout en essayant de ne rien manquer de la conversation « non verbale » qui se déroule en même temps.

— Mais... je ne chante pas ! Tu sais bien que je n'ai pas de voix ! Et je ne joue pas de musique non plus... Aucune oreille musicale !

— Donc..., lance Zoé en me souriant.

Son regard sous-entend que je devrais savoir ce qu'elle veut dire... Mais je suis trop abasourdie par ce qui se passe pour comprendre. Aidez-moi, quelqu'un ?

— Donc quoi ? dis-je en lui jetant le regard le plus interrogateur qui soit.

— Tu n'as peut-être pas le talent pour chanter ou pour jouer d'un instrument, mais... tu écris formidablement bien ! C'est débile, même ! Tu pourrais écrire une chanson ! On a pensé à toi ! Ben, pas vraiment nous, mais un peu… Nous, on est juste des messagères, essaie d'expliquer Zoé, qui devient de moins en moins claire.

Je ne comprenais pas trop.

— Voyons, Fred, on dirait que t'es pas là, enchaîne Emma. T'es méga dans la lune ! Ou dans ta bulle ! Ou juste ailleurs.

En tout cas, je te sens à mille lieues d'ici ! Youhou ! Réveille-toi !

Effectivement, je suis un peu sonnée. Pas par la tenue du concours, mais par l'animosité qui règne entre mes amies. Il y a anguille sous roche ! Je le sens ! Ça m'énerve ! Pire ! Ça me gèle le cerveau ! Ça monopolise toute mon attention et bloque mes réactions...

— Vous êtes les messagères de qui ? Qui veut que j'écrive une chanson ? Vous allez chanter, vous deux ?

— Ben non ! Pas nous ! On chante comme des casseroles. Tu te souviens de Frédéric, le gars qui joue dans mon équipe de basket ? Tu ne peux pas l'avoir « effacé » de ta mémoire, quand même ! Eh bien, il joue de la guitare et il a une voix complètement renversante. Il voudrait participer au concours, mais il n'est pas super bon en composition. Il cherche quelqu'un qui pourrait l'aider. Je lui ai dit que tu serais la meilleure pour lui écrire une chanson. Écoute... je ne sais pas ce que tu lui as fait, mais laisse-moi te dire qu'il est devenu rouge, il a écarquillé les yeux et m'a tout de suite répondu : « Tu penses qu'elle voudrait ? Elle va dire oui ? Ce serait trop génial ! » Alors tadam ! Le duo Frédéric et Frédérique est formé !

— Euh ! C'est que... pouff ! Euhh ! Hummm ! fais-je en rougissant à mon tour.

Je suis incapable de répondre. Les connexions entre mon cerveau vraiment endormi et ma bouche sont dysfonctionnelles. Rien ne se passe. Pourtant, ça tourne à toute allure dans ma tête ! Je deviens rouge, c'est certain. C'est à peu près la seule chose dont je suis certaine. Ah ! Non ! Je sais aussi que cette proposition me gêne... Écrire une chanson ? Moi ? Fred ? Mais qu'est-ce que j'allais lui écrire ? Je n'ai jamais fait ça de ma vie ! C'est tellement gênant ! Je n'ai pas d'idée pour le simple nom d'un groupe, comment est-ce que je ferais pour écrire toute une chanson ? Pour le beau Fred, en plus... Le grand (et formidablement beau !) joueur de basket. Je vais m'évanouir en lui parlant. Et virer rouge homard. Et bégayer. Et ne pas être capable de prononcer un seul mot en le regardant dans les yeux. Je ne lui ai presque jamais parlé d'autre chose que du basket ! Lui écrire une chanson ? Euhh... hummm... ishhh... J'en perds tous mes moyens et mon don habituel pour la parole. Est-ce Frédéric qui me fait cet effet-là ? Si c'est le cas, il vaudrait peut-être mieux que je refuse cette proposition. Je vais me ridiculiser... Au secours, je manque d'air ! Mon cœur et ma respiration s'emballent...

Fiou ! Rosalie vient à ma rescousse sans que j'aie eu à lui faire signe. Hourra pour la télépathie momentanée !

— Non, elle ne peut pas. Je vous l'ai dit! Fred est O-C-C-U-P-É-E cette semaine. Vous ne comprenez pas ça? Elle n'a pas le temps pour votre concours... amateur!

— Freeeeeeeed! Ça n'a pas d'allure! s'écrie Emma.

Elle doit croire que je vais ouvrir la bouche pour contredire Rosalie. Erreur. En fait, je n'ai pas vraiment entendu ce qu'a dit Rosalie. J'ai arrêté d'écouter après le « non ». Cela m'a suffi. J'ai recommencé à respirer à cet instant précis. Juste à m'imaginer en train de composer une chanson à côté du beau Frédéric, j'avais les jambes molles et le cerveau dans la brume. Ouf! Rosalie m'a sauvée.

Toutefois, ce n'est clairement pas l'opinion d'Emma et Zoé. Elles sont furieuses et déçues.

— Dis quelque chose, Fred! C'est pas trop ton genre de ne pas parler! Tu ne veux pas faire cela pour Frédéric ? C'est quand même une chance incroyable ! Non ? Allô ? Fred, es-tu là ? me presse Emma.

— Oui... non... En fait, Rosalie a raison. Je suis un peu occupée cette semaine. Mes devoirs, le concours pour *Les X de la musique*, l'étude en sciences, les travaux à faire... Ma mère qui ne veut pas que je traîne après l'école et qui me surveille comme un bébé. J'ai plein de choses en tête et pas beaucoup de temps pour composer une chanson...

— Franchement, si t'étais dans ton état normal, tu accepterais ! Tu trouverais une façon de tout faire. Tu...

— Heille ! Tu vois bien qu'elle est occupée ! Faut que tu l'écoutes ! s'interpose Rosalie.

— Toi, tu l'écoutes juste parce que ça fait ton affaire, autrement tu l'aurais supplié à genoux. Là, t'es contente, car tu vas PEUT-ÊTRE, je dis bien PEUT-

ÊTRE, rencontrer les trois gars qui eux ne te remarqueront même pas, s'indigne Emma en tournant les talons et en attrapant Zoé par la manche.

— Penses-y comme il faut, Fred..., me lance cette dernière avant de suivre Emma.

Je fais signe que oui avec la tête. Ouf ! Cette conversation m'a un peu secouée. Et moi qui pensais avoir le temps de trouver des idées pour le nom du groupe et même lire un chapitre de sciences ! Quelle nouvelle étrange ! En fait, c'est plutôt ce qu'elle a provoqué autour de moi qui est étrange et non la nouvelle en elle-même !

— Merci, Rosalie...

— Pas de quoi ! Pfffff ! Franchement ! Leur petit concours me fait rire ! Un iPad, c'est bien, mais c'est tellement rien à côté de passer dans une émission de télévision. Et on va peut-être faire des photos pour un magazine ! Avec le concours de l'école, on va voir notre face où ? Dans le journal du quartier ? Le journal de l'école ? Ça ne se compare même pas...

— Quand même, Rosalie ! T'es pas obligée d'être poche avec le journal de l'école. Je l'aime bien, moi !

— Ah oui ! C'est vrai ! Tu en fais partie ! Excuse-moi ! se reprend-elle. Bon ! On ne passera pas notre midi à penser à ça ! Pff ! Écrire une chanson ? Tu aurais aimé ça ? C'est vrai que Frédéric est pas mal beau, mais pas autant que les gars des X... T'as pas à me remercier pour tantôt, je voyais bien que ça ne te tentait pas. C'est un concours mineur ! Je te comprends de ne pas vouloir gaspiller ton talent là-dedans ! Et puis, tu avais tellement l'air figée. Mais il faut que tu arrives à dire non aux autres quand leur projet ne te plaît pas...

Tout à coup, je me ressaisis et émerge de ma brume.

— Mais... mais... tu n'y es pas du tout, Rosalie. Pas du tout !

— Tu veux dire quoi, là ? demande-t-elle, un peu insultée.

— J'hésitais parce qu'écrire une chanson, ça m'intimiderait, je pense... C'est personnel, presque intime ! On se dévoile toujours un peu. Mais tu te trompes aussi sur un autre point ! Qu'un projet soit grand ou petit, ça ne me fait rien. Ce qui compte, c'est qu'il me fasse tripper.

— En tout cas, tantôt, tu avais plus l'air de flipper que de tripper, crois-moi...

— Peut-être, je ne sais pas trop... Il y avait autre chose. Toi et Emma, vous vous êtes chicanées ?

— Chicanées ? Non ! s'empresse de répondre Rosalie en détournant le regard.

Ça veut dire qu'elle ment. Je la connais trop.

— On n'a juste pas envie d'investir nos énergies aux mêmes places. Vendredi, quand elle m'a parlé du concours de l'école, je trouvais ça cool. J'étais prête à l'aider. Mais quand le concours des *X de la musique* est arrivé, je l'ai appelée pour lui dire que je concentrais mes énergies sur celui-là et que j'abandonnais le concours de l'école. Je pense que ça l'a fâchée... J'ai dit oui, puis j'ai changé d'idée. Ça arrive ! Elle, si ça la fâche, je n'y peux rien... Pourtant, ça arrive à tout le monde... Elle n'a pas besoin d'en faire un drame !

J'avais vu juste, tantôt. Mon 6e sens avait raison. Il y avait bel et bien des éclairs entre mes deux amies. Zoé devait se sentir comme moi, un peu prise entre les deux... sans trop savoir comment réagir.

— Bon ! Vite ! Il reste trois minutes avant la cloche. Tu as pensé à un nom ?

Il faut trouver, là! Ça commence à être urgent! Fred? Tu m'écoutes?

Non, je ne l'écoute pas vraiment... Trois minutes! Au secours! Je soupire longuement. Non, je n'ai aucun nom en tête. Non, je n'ai pas étudié. Non! Je n'ai même pas terminé mon sandwich! Je sens que je vais avoir mal à la tête! Zuuuut!

Effectivement, j'ai des élancements derrière le front dès le début du premier cours. Les notions de mathématiques se mettent à valser devant mes yeux et ne pénètrent qu'avec difficulté dans mon esprit. Une barrière bloque les intrusions superflues (et les mathématiques en font partie!). Le blocus est formé des mots notés dans mon agenda, des visages de mes amies, des propos qu'elles ont tenus tantôt, des deux concours, de Frédéric, de quelques notions de sciences égarées, et même de petites idées de… chansons! Sans que je le veuille, mon cerveau s'est mis à chercher un refrain… Il n'y a pas à dire, on ne le contrôle pas totalement, celui-là. À présent, seules les mathématiques me rattachent au monde réel, car toutes mes pensées m'entraînent vers un autre monde plus flou et sûrement plus fou. J'oublie les chiffres, les nombres et les formules compliquées. Une sensation étrange m'envahit et je n'arrive pas à discerner ce qui la cause. C'est vraiment étrange. Suis-je heureuse parce que Rosalie a répondu à ma place et m'a sauvée d'une humiliation certaine? Je devrais alors me sentir soulagée, ce qui n'est pas vraiment le cas. Je ne comprends pas. Suis-je triste que mes amies se soient chicanées? Probablement, mais je ne peux pas tout réparer. Je ne suis pas Fred-la-sauveuse! Durant mon cours d'univers social, mon mal de tête s'intensifie. Malgré tout, je souris à la pensée de mon propre univers social qui ressemble plutôt à une balle de laine tout entremêlée. Il n'y a rien de simple. Quelque chose bloque. Un nœud sûrement. Quatre brins de laine – et quatre filles – qui tirent chacun de leur côté. NŒUD LAINE TIRER MÊLER. Je griffonne ces mots dans mon agenda. On ne sait jamais. Parce que même au cœur de ce gouffre de questionnements, j'arrive à émerger pour remettre un pied dans la réalité. J'ai promis quelque chose à Rosalie et je compte bien trouver un vrai bon nom de groupe.

Quand la cloche sonne enfin, je prends rapidement le chemin de la maison. Je n'ai pas le goût de recroiser Rosalie, ni même Emma ou Zoé. Encore moins Frédéric. À l'heure qu'il est, je me demande s'il sait que je refuse de lui écrire une chanson. Mon brouillard de pensées sombres me suit à la trace. Dommage que je ne le perde pas en chemin. Je pourrais aussi l'égrener, le fractionner en petits « mottons » que je laisserais derrière moi. Je le sèmerais comme les cailloux du petit Poucet. Ou je prendrais ces cailloux – mes morceaux de tourments – et je les lancerais de toutes mes forces dans les entrailles d'un lac. Ainsi, je finirais bien par me sentir mieux, peut-être un peu plus légère. En attendant, je donne de furieux coups de pied sur chaque roche qui se trouve sur mon chemin. Quoi ? C'est un moyen comme un autre d'évacuer mes émotions et d'éliminer mon mal de tête... Tant mieux !

Je me surprends à être raisonnable. Je fais mes devoirs, mes leçons et mes lectures en un temps record et avec une assiduité étonnante. Non pas que je sois devenue archistudieuse ou que je veuille me libérer au plus vite de la surveillance de ma mère, mais c'est plutôt un mode de survie. En faisant fonctionner à plein régime la partie gauche de mon cerveau – donc la rationnelle et la structurée –, je mets en sourdine la partie droite – celle de l'intuition et de la créativité. Je la fais taire. J'essaie de ne pas trop l'écouter. Je refuse de m'attarder au sentiment étrange qui m'habite depuis l'heure du dîner. Je sais bien que si je lui en laisse la chance, il va envahir tout mon corps (ma tête et mes pensées comprises !) et qu'après je ne pourrai jamais me concentrer sur mes devoirs. Il en résultera une série de conseils et de questions de ma mère. Aucune espèce d'envie de subir ça ! Je remplis mes obligations et ensuite je ferai le ménage dans ce qui m'achale et mettrai enfin le doigt sur le bobo, mais juste... APRÈS !

En fait, je suis plutôt contente de laisser mes soucis de côté. Même si c'est pour faire mes devoirs. Vrai de vrai !

J'ai la tête lourde de tout ce qui s'est passé ce midi. Je n'ai pas envie de savoir, décider, comprendre, agir, réagir, réparer, recommencer, penser. Mes problèmes de maths, eux, ont toujours une solution logique. Les règles de français ont toutes des explications. Les notions d'histoire sont basées sur des faits réels. Tout est cohérent, tout s'explique par le raisonnement. Il y a des livres qui peuvent nous aider, des formules à appliquer, des exceptions à connaître, mais c'est possible d'y parvenir avec un minimum de bonne volonté. Par contre, mes émotions mêlées et la tension que j'ai sentie entre mes amies, ça, je ne peux pas l'expliquer facilement. C'est confus et nébuleux. Aucune logique ni aucune formule ne s'appliquent pour résoudre ce qui se trame au cœur même de ma vie. Et c'est bien ce qui m'angoisse.

Maintenant que j'ai terminé mon travail, plus moyen d'échapper à ce qui me tracasse, mon fameux «après»: l'empressement de Rosalie, le concours, la déception d'Emma, l'incompréhension de Zoé, ma peur du ridicule, ma difficulté à dire non, le sentiment de ne pas m'écouter, l'angoisse d'échouer, la crainte de ne rien trouver pour le concours, les réactions bizarres de Rosalie, sa trahison envers Emma et Zoé, etc. C'est reparti! Un manège tourne sans cesse dans ma tête sans que je trouve le moyen de l'arrêter...

Dire oui ou dire non ?

À mon réveil, je suis en rogne contre moi-même. Contre moi-même et personne d'autre. Il faut dire que j'ai mal dormi. Je tournais tellement dans mon lit que j'ai finalement décidé de me coucher sur mon divan. Je m'y sens réconfortée et je peux réfléchir plus librement. Au fil du temps, il est presque devenu un confident. C'est mon journal intime confortable et moelleux.

Cette nuit, après m'être réveillée pour une énième fois, j'ai compris ce qui m'agaçait. La source de tous mes problèmes c'est qu'on a pensé et décidé POUR MOI. Le résultat ? Je me sens à côté de mes souliers. Ça me fâche. Je ne supporte pas de laisser le fil de ma vie dévier selon les intuitions des autres.

D'abord, ma mère. Elle a décidé que je rattraperais mon retard dans mes devoirs, a inventé des nouvelles règles pour me surveiller, a éliminé mon pizza-dredi et m'a donné un couvre-feu au retour de l'école. Bon, peut-être qu'elle a un peu le droit de faire ça. C'est ma mère. Mais reste que ça m'a dérangée et, mine de rien, ses décisions m'ont usée un peu par en dedans. Je subissais, je n'agissais pas vraiment.

Ensuite, Rosalie. Quand j'ai dit oui pour le concours, je me sentais emballée. Je sortais d'une fin de semaine affreuse et éprouvante ! N'importe quoi m'aurait enchantée ! Je pense que j'aurais dit oui à un cours d'escalade même si j'ai le vertige. J'avais besoin d'un défi et surtout de quelque chose d'éloigné de l'école et des devoirs. J'ai dit oui et je ne le regrette pas. En plus, je sais que je fais plaisir à ma meilleure amie. C'est difficile de dire non à une telle demande.

Je peux contribuer à réaliser son rêve le plus cher. Et qui sait si ce concours ne changera pas vraiment sa vie... Je me surprends à y croire encore. Mais son attitude avec Emma et Zoé m'a un peu désenchantée. Je ne savais pas vraiment ce que je choisissais. Rosalie ne m'a pas tout dit. Je lui en veux un peu. En me cachant le fait que les filles voulaient aussi que je les aide pour le concours avec Frédéric, elle m'a imposé un choix pas vraiment éclairé. Elle a trouvé une façon pour que je donne la réponse qu'elle voulait. Elle a mis SA réponse dans MA bouche. Pour le concours «Nous aussi, on fait de la musique!», elle a encore répondu à ma place... Aurais-je répondu la même chose si j'avais connu tous les faits? Je ne sais pas. Je ne sais plus...

J'ai peut-être trop souvent dit oui, dans ma vie. Certains pensent sûrement que c'est un problème, que je me retrouve dans mille projets différents et que j'ai souvent la tête ailleurs (j'en oublie même « quelques » devoirs...), mais c'est la vie que j'aime. C'est loin d'être ennuyant ! Et j'ai le sentiment de vivre vraiment et de ne passer à côté de rien ! De rien ! Je ne veux pas me réveiller un jour et me rendre compte que j'aurais dû faire quelque chose, mais que je ne l'ai pas fait. Que je suis passée devant un chemin sans le prendre à cause d'une peur, d'un manque d'encouragement ou de temps. Ou pire, parce qu'on a choisi à ma place ! Et c'est clair ce matin que c'est ce qui m'arrive. J'ai même dépassé ce petit chemin sans le voir. En fait, Rosalie me l'a caché subtilement et quand je l'ai aperçu, un peu sur le tard, j'ai eu peur, car c'était l'inconnu. L'inconnu doublé de la présence de Frédéric. Sauf qu'il est encore là, ce chemin. Je n'ai qu'à retourner sur mes pas et l'emprunter. Même si j'ai peur. Même si je doute. Même si je tremble. Ces manifestations ne me prédisent pas un échec. Non, elles sont la preuve concrète que je suis moi.

C'est décidé. Je change d'idée. Je vais dire oui à Emma.

Je pars enfin pour l'école en me sentant mieux qu'hier. Je suis moins grognonne, car j'ai pris des décisions. Je ne sème plus des cailloux. Je les choisis.

Je dis cela parce que je l'ai lu quelque part – dans Internet, bien sûr! C'est là qu'on trouve toujours ce qu'on ne cherchait pas du tout au départ! Fou quand même! Et encore plus fou que mon cerveau me ramène cette info sur la philosophie des cailloux précisément ce matin. En gros, cette théorie dit qu'il faut placer dans notre vie d'abord les gros cailloux, c'est-à-dire les choses qu'on aime le plus et dont on ne pourrait jamais se passer. Ensuite, on place les cailloux moyens qui se faufilent entre les plus gros – ce sont les trucs qui sont importants, mais pas primordiaux. On finit toujours par en faire entrer quelques-uns. Et on termine avec du sable qui se glisse partout dans les trous – les autres choses qu'on aime, mais qui sont un peu superflues. On fait l'analogie avec un bocal en verre qu'on essaierait de remplir d'abord de petits cailloux et ensuite des plus gros. C'est impossible. Si on remplit le bocal de sable, on ne parviendra jamais à faire entrer ensuite nos gros cailloux. Il faut donc commencer par les plus gros, les choses qui nous tiennent vraiment à cœur. Ça me fait sourire de penser que je fais le tri dans mes gros cailloux.

Je fouille dans mon sac et sors mon agenda pour noter CAILLOUX CHOIX DÉCISION OUI NON PEUR RELEVER CHEMIN. L'inspiration me revient peu à peu. Je ne prendrai pas le risque de laisser filer une bonne idée. Toutefois, j'arrive à l'école juste comme la cloche sonne. Je n'ai pas eu le temps de parler à mes amies. Bah! Je le ferai à la pause. Je suis dans le même cours de français qu'Emma, peut-être que je réussirai à lui en glisser un mot.

Erreur! Emma ne m'a pas regardée de tout le cours. Je pense qu'elle boude. Une chose est certaine: elle ne semble pas très contente. Ah non! Moi qui étais pleine d'entrain ce matin! Moi qui avais plein de bonnes nouvelles à annoncer. Voilà que ça augure mal. Elle m'en veut, j'en suis sûre!

Quand la cloche a annoncé la fin du cours, elle est partie à toute vitesse. Je n'ai pas eu le temps de la rattraper. Zuuuut! Se faufiler dans le corridor quand une marée d'étudiants l'envahit, c'est digne d'une épreuve olympique. Il faut absolument que je lui parle. Je commence à croire que j'ai perdu mes chances. Peut-être Frédéric a-t-il trouvé quelqu'un d'autre? Peut-être qu'il ne voudra plus? Peut-être qu'Emma et Zoé ne voudront pas que je m'implique dans le concours de l'école? Peut-être que je ne pourrai pas prendre le petit chemin que j'ai ignoré hier... Je ne veux pas croiser Frédéric, j'ai trop honte. Il faut absolument que je répare ma gaffe avant... Perdue dans mes hypothèses, je n'entends pas Rosalie arriver. Je sursaute quand elle me lance:

— Ahhh! T'es là! Tu te caches ou quoi? Je t'attendais, ce matin!

Juste à la manière dont Rosalie me serre l'avant-bras, j'évalue son niveau de stress. Élevé. Très élevé. Je n'ai tellement pas la tête à lui parler – ni à l'écouter, en fait – que j'essaie de canaliser mon attention sur la recherche d'Emma en m'étirant le cou tout en ouvrant mon casier. Difficile. Très difficile.

— Fred? Je te parle! Tu as des noms à me proposer? Tu y as pensé, au moins?

Dis-moi oui! Quels noms t'as trouvés? Fred? Qu'est-ce que tu cherches? Youhouuu?!

— Je cherche Emma.

— Fred? Je te parle du concours! Pourquoi tu cherches Emma?

— Parce que...

— Wow! T'es bavarde ce matin! J'espère que tu as trouvé plus d'idées que ça, sinon je ne gagnerai pas, c'est assez certain!

— Humm humm.

— Youhouu? Tu ne m'as pas répondu. Pourquoi tu cherches Emma? Youhouu? C'est bien difficile de te parler aujourd'hui.

— Il faut absolument que je lui parle. C'est méga important! J'ai changé d'idée.

— T'as quoi? Freeeed? Nooooon! Fred, tu ne peux pas! Tu ne peux juste pas! T'as compris? T'as promis de m'aider, moi! Pas Emma! Moi! Pas le beau Frédéric! Tu ne peux pas!

— Pourquoi je ne pourrais pas ? Explique-moi !

C'est trop ! Je sens la colère monter en moi. Je bous intérieurement. Là, ce matin, ce n'est pas vrai que Rosalie va décider à ma place. Je n'ai pas le goût de m'expliquer ou de me justifier. Je suis assez grande pour savoir ce que je fais. Je voulais me fâcher, mais Rosalie dépasse les bornes en me disant : « Tu ne peux pas ! » En fait, c'est presque instinctif pour moi ; si quelqu'un me dit : « Tu ne peux pas », ça ne me donne pas envie de baisser les bras et d'abandonner. Non ! C'est tout le contraire ! Ça me donne mille fois plus envie d'essayer et possiblement de réussir pour prouver que j'en suis capable. Pour montrer que cette personne avait tort de me dire de ne pas le faire. Des fois, un non, ça peut nous allumer encore plus qu'un oui.

— Ben, tu ne peux pas, parce que tu as promis de m'aider en premier ! Tu ne peux pas te séparer en vingt-huit morceaux et avoir des idées et du temps pour tous tes projets. Donc, tu dois d'abord trouver un nom pour le groupe avec moi. Après, tu pourras faire ce que tu veux! C'est sûr que, si j'étais toi, je resterais disponible avec moi pour les entrevues et les photos de magazine qui vont suivre le dévoilement du nom, mais bon! Si t'aimes mieux retourner dans l'ombre et faire des chansons pour le concours de l'école, c'est ton choix. Mais là, tu ne peux pas faire deux choses en même temps! Et tu m'as dit oui avant...

Je n'y crois pas! Elle me fait la morale et me parle comme si j'étais un bébé et qu'il fallait qu'elle décide à ma place. Je n'aime pas ça. Je n'aime pas ça du tout. Je peux très bien faire plusieurs choses à la fois si JE le décide. Surtout que ce sont des projets compatibles. Rechercher des idées pour un nom de groupe, ça peut m'amener à penser à une chanson. Écrire les paroles d'une chanson, ça peut me donner des idées pour un nom de groupe. Je pense même que c'est profitable ! Mais le ton de reproche de Rosalie m'exaspère.

— Je peux dire OUI à qui je veux, Rosalie, tu sauras ! J'ai accepté de t'aider et je ne reviendrai pas sur ma parole ! Tu sais bien comment je suis ! Je t'ai dit oui parce que tu es mon amie et que tu as un rêve. Mais là, arrête de penser et de décider à ma place ! Arrête surtout de croire que je ne serai pas capable ! Même si j'écris une chanson, je vais pouvoir trouver un nom super génial pour les X !

J'ai presque crié. Oups ! Je ne voulais pas, mais je suis trop fâchée.

— Euh ! Juste pour te faire remarquer qu'hier tu étais bien contente que je réponde à ta place, Fred ! Tu m'as même remerciée ! Tu ne voulais pas écrire la chanson !

— Oui... non... Ahhhh ! Peut-être, mais j'ai compris quelque chose, hier soir...

J'ai juste eu peur de ne pas être à la hauteur devant Frédéric. C'est plus engageant que de trouver un nom de groupe! J'ai eu peur et j'ai eu le réflexe de fuir, de dire non. Mais j'ai changé d'idée. Ça me tente! Ça me motive! Mieux encore, ça me brasse tellement l'esprit que je suis certaine que je vais trouver un meilleur nom encore pour le groupe!

— Ouin...

— Bon! Tu ne vas pas bouder? Non? Franchement, Rosalie, arrête un peu de croire que seul ton projet est important! C'est plate! Je ne veux pas me sentir prise entre toi et Emma et Zoé! C'est trop nul!

— Oui, mais Fred... ça me stresse! Si jamais tu as une idée pour la chanson mais un blanc total pour le nom du groupe? Il me semble que, si tu faisais une chose à la fois, ce serait mieux!

— Là, tu penses juste à toi! Tu veux que je fasse ton projet, que je dise non aux autres juste parce que tu penses que ça va influencer négativement tes chances de gagner. T'es égoïste, Rosalie !

— Réaliste, peut-être !

— Tu parles comme ma mère !

— T'es ben mieux de trouver un nom quand même... sinon... sinon...

— Sinon quoi ? Tu ne me parles plus ? Tu me renies comme amie ? C'est des menaces ça, Rosalie ! Je ne peux pas créer dans l'urgence ou avec une pression ! C'est loin d'être plaisant ! Arrête de me harceler chaque fois qu'on se voit pour savoir si j'ai trouvé un nom ! Tu ne me demandes même plus comment je vais, tu ne penses qu'au concours ! Il y a encore une vie, autour ! T'es méga insistante et je pense que c'est ce qui bloque mon imagination ! Donne-moi un peu d'air ! Encourage-moi au lieu de me presser !

— ...

— Tu boudes ? Arrête ça tout de suite ! C'est inutile ! C'est de trop ! Et c'est bébé !

— OK! OK! Fâche-toi pas! T'as peut-être un peu raison. Mais j'espère tellement gagner, tu comprends? Je voudrais que le temps passe plus vite! Qu'on soit déjà vendredi ou même lundi! Tu sais bien que je n'aime pas attendre! J'espère gagner. Je veux y être tout de suite. Là, là! Tu comprends, un peu...

Je fais oui de la tête, mais elle était déjà repartie dans son rêve! Ses yeux fixent un point imaginaire. Elle est déjà ailleurs. Sur scène, probablement. Ou sur la couverture d'un magazine. En interview à la radio ou en direct à la télévision.

Rosalie ne changera pas. Quand elle a quelque chose en tête, elle est prête à tout pour gagner, même à écraser ou à écorcher les autres. Pas moi! J'espère qu'elle a saisi que je veux m'engager à fond avec elle ET avec Emma. Ce n'est pas l'une contre l'autre. Ai-je été claire? Je ne sais plus...

Mais en me dirigeant vers ma classe d'anglais, il y a quelque chose de différent. Je respire. Je me sens plus légère. Je suis soulagée. C'est cela! Soulagée! Il fallait que je dise tout ça! C'est bien beau de ruminer et d'y penser toute seule, mais en le partageant je me suis délestée d'un poids. Comme une mont-golfière trop pesante qui n'arrive pas à décoller, j'ai jeté des sacs de sable qui me ramenaient vers le sol. Je prends mon envol. Être libre. Enfin.

Mes mots francs et directs ont peut-être un peu choqué Rosalie. Je le regrette, mais j'avais trop besoin de les dire. Mes mots me gardaient prisonnière. En me vidant le cœur, j'ai fait de l'espace en moi. J'ai maintenant de la place pour laisser entrer d'autres idées et je serai capable de garder les meilleures.

Ahh! Vraiment, je respire mieux, plus librement. Plus grand! Je ne respire plus comme un petit chien en haletant, je prends de grandes inspirations et je sens mon abdomen se gonfler. J'expire bruyamment. Un soupir de soulagement. Un soupir encourageant !

Tout de suite après mon cours, j'attrape Emma. C'est mon seul objectif. Après, si tout fonctionne comme je le souhaite, je vais respirer encore plus !

— Pour vrai ? Tu changes d'idée ?

Emma n'y croit pas. Je vois qu'elle hésite entre être un peu fâchée (elle a peut-être l'impression que je cherche seulement à la réconcilier avec Rosalie) et me sauter au cou.

— Oui.

— Tu vas participer au concours de l'école ?

— Oui.

— Tu vas écrire une chanson pour Frédéric ?

— Oui.

Elle est sceptique ou elle est sourde ? À moins qu'elle ne veuille plus prendre de risque.

— Pour vrai ?

Là, un grand sourire commence à poindre sur le bord de ses lèvres. Emma est vraiment contente. Pour vrai.

— Oui. Ben, je vais essayer, en tout cas ! Fort ! Fort !

— Ohhhhh ! Fred ! Je t'aime trop ! T'es sûre, là ? Je ne voulais pas te mettre de la pression, mais c'est toi la meilleure pour ça ! Je n'ai pas trouvé le courage de dire à Frédéric que tu refusais. Fiou !

— Ça me fait un peu peur, mais j'ai vraiment envie de le faire. Et on dirait qu'en cherchant des mots pour le nom du groupe, j'ai eu des débuts d'idées de chansons. Étrange, non ?

— Avec toi, c'est pas étrange du tout ! C'est... c'est... toi !

— Pourquoi tu dis ça ?

— T'es comme ça, Fred ! Des fois, tu pars sur un nuage. On te sent loin,

comme perdue. Et quand tu es ainsi, on n'a pas accès à toi. La vraie toi! Depuis quelques semaines, on dirait que tu étais comme ça! Hier, j'étais certaine que tu dirais oui, alors j'ai été fâchée, c'est vrai! J'avais un peu l'impression que désormais tu diviserais ta vie et que tu nous diviserais toutes les quatre. Je croyais que tu nous verrais seulement séparément. Ou que tu ne ferais qu'une seule chose à la fois. J'ai essayé de me raisonner en me disant que c'était parce que tu avais pris du retard dans tes travaux et que ta mère t'interdisait de t'impliquer dans plusieurs projets. J'avais de la misère à croire que c'est toi qui t'imposais tous ces choix déchirants. Mais en même temps, il y avait en moi une petite voix qui me disait qu'avant tu aurais foncé sans hésiter. Tu n'aurais pas choisi, t'aurais tout pris! Tu aurais été super enthousiaste! Tu aurais sauté dans les airs... Je te trouvais bien trop sérieuse, tout à coup! Habituellement,

c'est moi la sérieuse et la raisonnable.
Pas toi...

— Wow! Je ne sais pas trop quoi
dire...

— T'as rien à ajouter... Je voulais
juste te dire que je pense que tu rem-
barques dans tes souliers à toi! Tu as
déjà dit ça, un jour!

Je souris. Des fois, on a besoin de
mots, d'autres fois, on se laisse devi-
ner par les autres. Les deux sont aussi
bons ! Là, je ne me sens pas juste libre.
Je flotte.

— T'es un de mes gros cailloux,
Emma! Zoé et Rosalie aussi. Ne l'oublie pas...

— Un quoi?

Je m'en vais en la laissant avec cette
interrogation au fond des yeux!

Les Divans Bleus

Avant de quitter l'école, je fais un détour par le local du journal étudiant. J'ai passé une bonne journée avec mes amies. On a dîné et rigolé ensemble. Aucune d'elles n'a commenté le fait que ce soir je devrai mettre mon cerveau à plein régime pour trouver de bonnes idées. On a simplement profité du moment tranquillement. Cependant, juste avant d'ouvrir la porte du local, je ressens un serrement au cœur. J'ai fait un choix. Je dois l'assumer.

— Salut, Raphaël, il faut que je te parle.

— Pas de problème, Fred! Qu'est-ce qu'il y a? Encore un autre projet fou?

— Euh! Pas vraiment! Tu sais, je t'avais dit que je suivrais l'équipe de basket.

Je l'ai fait. J'ai rempli ma mission. Je t'avais dit aussi que j'écrirais d'autres articles pour le journal pendant que l'équipe serait en pause. Mais je ne peux plus. J'ai eu... plein de pépins et j'aimerais mieux arrêter le journal pour quelques mois. C'est possible ?

— Oh ! C'est dommage, parce que tu écris vraiment bien...

— Oui, mais...

— Ah ! Tu n'as pas à t'expliquer plus que ça, tu sais ! Je comprends. Des fois, il faut faire des choix... On se revoit donc en janvier ? Ça me ferait plaisir de retravailler avec toi...

— Super ! Ça me soulage ! J'aime vraiment le journal, c'est juste que là, c'est... trop ! Mais promis, je continue à écrire... d'autres choses. Tu verras...

Je pars vers la maison le cœur vraiment léger ! Je serai en retard de quelques minutes, mais je ne donnerai même pas le temps à ma mère d'être fâchée. Je vais tout lui expliquer ! Aujourd'hui, on dirait que rien ne m'arrête et c'est un formidable sentiment!!

Hop! Mes devoirs terminés! Hop! Mes leçons bien apprises! Hop! Mes lectures achevées! On dirait que je joue au ping-pong et que je ne rate jamais la balle. Tout va pour le mieux!

Ce soir, c'est LE grand soir! Je veux attirer à moi toutes les bonnes énergies, les bonnes vibrations et les bonnes ondes pour écrire. Je suis à la fois sorcière et magicienne. Je me laisse emporter par un vent nouveau. Un peu comme si je faisais une incantation magique, je m'assois en Indien par terre, le dos contre mon divan. Autour de moi, je dépose plein de choses qui pourront m'être utiles pour ma création. Le journal avec *Les X de la musique* laissé par Rosalie l'autre soir, des trucs que j'ai fait imprimer à partir de leur site Web tantôt, des photos d'eux, des crayons de couleur, des stylos, mon dictionnaire, mon agenda avec mes idées, mon ordi et un nouveau cahier. Ce n'est peut-être qu'une superstition de ma part, mais écrire dans un nouveau cahier m'aide toujours. Surtout quand c'est important comme ça l'est ce soir! J'ouvre donc mon nouveau cahier et j'y retranscris tous les mots que j'avais écrits dans mon agenda. Ensuite, je me donne le défi de trouver 10 mots qui ont un lien avec ma journée d'aujourd'hui : ROSE. AMIS. ÉCRIRE. CHOIX. RIRE. LIBRE. DIVAN. OUI. NON. CŒUR.

— Maman??? Je peux manger dans ma chambre? S'il te plaît! Dis ouiiiiii!

Je cours comme une folle dans l'appartement pour rejoindre ma mère à la cuisine. Je sens que ça s'en vient! Que c'est tout proche! C'est comme une présence! Je sais que c'est là. Ce soir. Dans une heure, peut-être. Ou même moins.

Je sens que je vais trouver. Que mes idées vont sortir et se mettre en place. Je ne peux pas arrêter le processus pour aller souper. Je veux manger entourée de mes papiers et de tout ce qui me donne des idées. J'essaie d'expliquer à ma mère que je ne peux pas rater ce rendez-vous avec moi-même, car tout serait fichu (j'exagère un peu, mais pas trop!).

— OK! OK! Vas-y! C'est correct!

J'ai étourdi ma mère.

— Meeeerciiii, petite maman chérie!

— C'est beau! N'en mets pas trop! J'aime mieux te voir ainsi qu'amorphe et dépassée comme la semaine dernière. Mais attention de ne pas déraper à nouveau!

— Promis! Promis!

Tiens! Je me dépêche d'écrire PROMESSE DÉRAPER dans mon nouveau cahier. Je remarque que j'ai écrit en bleu, en vert et en mauve. J'ajoute aussi ces couleurs dans ma liste. On ne sait jamais...

Je mange mes fajitas en essayant de ne pas salir mes notes. En même temps, je feuillette encore le magazine et je regarde les photos des X. Humm! C'est vrai qu'ils sont pas mal beaux, tous les trois! Je sais que le préféré de Rosalie, c'est Gabriel. «Gab», comme elle l'appelle! Je suis certaine que si elle le voyait en «vrai», elle l'interpellerait avec ce diminutif! Moi, je mourrais de gêne avant même d'avoir prononcé une seule parole!

GÊNE HÉSITER BEAU PARLER GARS FACILE

Puisque mon imagination semble être en mode production, je saisis les photos du groupe. En les regardant, j'essaie de laisser mon regard s'accrocher aux petits détails. J'essaie d'avoir une perspective différente, comme si je les voyais pour la première fois. Je les examine avec la minutie d'une détective privée qui cherche un microscopique indice.

Celle où ils sont sur un toit de maison : TOMBER PIEDS DESSUS CIEL. Pourtant, c'est la photo que j'aime le moins. C'est un peu comme s'ils se tenaient sur le toit du monde et que les autres étaient à leurs pieds. C'est un peu prétentieux. Celle qui les montre en plein milieu d'un boulevard, je l'aime mieux. Elle me donne des idées : TRAFIC PRIS AU PIÈGE VITESSE FONCER ARRÊTER PERDU TOUTE ALLURE. Quand je les vois dans une pose moins « arrangée » – sur un vieux divan défraîchi ou dans le studio d'enregistrement, par exemple – , je perçois une énergie entre eux. Quelque chose qu'on ne voit pas, mais qu'on sent. Pour moi qui ai suivi un cours de photographie il n'y a pas longtemps, je sais que, lorsqu'on arrive à faire trans-paraître quelque chose d'invisible, ça veut dire que c'est une vraiment belle photo ! COMPLICITÉ UNITÉ COMPRENDRE AMITIÉ INVISIBLE VRAI ÉNERGIE VÉRITÉ

Mine de rien, j'ai une trentaine de mots devant moi. Reste à les agencer ensemble et à trouver un lien entre eux. Ouf! Même si ça ne semble pas hyper exigeant comme travail, je ressens un peu de fatigue. Je décide donc de faire une micropause pour rassurer Rosalie. Un courriel fera l'affaire. C'est LA bonne option, car au téléphone elle va me retenir trop longtemps. Ça va briser le fil de mon inspiration que je suis en train de tricoter tranquillement. C'est ça! C'est ça! Je tricote mes idées... Tout est démêlé dans ma tête, alors je peux entreprendre quelque chose de neuf... comme si je tricotais des mots pour en faire une chanson et un nom!

Salut Rosie! Impossible de te parler en «vrai de vrai», je sais que tu me volerais du temps... de tricot! Nooon! C'est une farce! Je ne tricote pas vraiment avec de la laine, mais bien avec mes idées. Ça avance! Ça avance bien, même! Je sens que l'idée géniale est tout

près. Je n'aurai qu'à la cueillir bientôt !
Cool, non ? Bon, je retourne dans mon
installation spéciale « création ». C'est
quoi ? (Je t'entends me le demander !)
Voici : je suis assise par terre, au pied de
mon divan, avec tout mon stock pour
écrire. J'ai même fait imprimer des pho-
tos des X de la musique pour réveiller
mon inspiration... Au fait, tu as rai-
son ! Gabriel est pas mal beau ! Mais
mon préféré, c'est Arthur ! Bon ! Assez !
Mon inspiration m'attend ! Surtout ne
m'appelle pas ! Je te connais trop ! Tu
vas jaser trop longtemps et je pourrais
rater mon rendez-vous avec l'idée du
siècle pour le nom du groupe... et tu ne
veux pas ça, j'en suis certaine !

Ciao !
Fredxxx

Comme je me sens bien ! Je me sens
« moi ». Les deux pieds dans mes souliers
et non prise entre deux chaises, prête à
tomber. J'ouvre un peu les rideaux de

la porte-fenêtre de ma chambre. Dehors, la nuit est tombée. C'est tout noir. Je vois un mince filet de lune qui brille dans le ciel. J'ai encore besoin, de temps en temps, de prendre un peu de recul et d'admirer simplement la nature. Ici, en ville, le seul lien qui subsiste vraiment, c'est la lune et les étoiles. Quand j'habitais à la campagne, je pouvais m'éclipser près de la rivière pour mettre de l'ordre dans mes idées[3]. Mais la lune, ça reste spécial pour moi. Quand je la regarde, parfois je lui parle. Comme à une confidente ultra-secrète! Je ne l'ai jamais dit à mes amies. J'ai bien sûr un journal intime. Mais des fois, j'ai juste besoin de parler à quelqu'un sans nécessairement qu'on me parle en retour. De dire des mots difficiles. Parler à la lune, c'est me délivrer de petits poids qui m'encombrent. Je lui lance mes idées, mes frustrations, mes peines, mes

---

3. Lire les 4e et 5e tomes de la série: *Cœur de pierre* et *8 histoires d'amour plus tard*.

rêves et même des avertissements ou des défis qui sont en fait dirigés vers moi. « J'espère qu'il m'arrivera quelque chose de bon aujourd'hui ! », « J'aimerais donc que la journée passe vite ! », « Aide-moi à me souvenir de mes formules de mathématiques ! », « Grrrrrr ! Tout m'énerve aujourd'hui ! » Ça me permet de me vider de mes soucis ! Ce soir, je n'échappe pas à la tentation de faire mon appel à la lune. C'est presque une incantation que je prononce en fermant les yeux quelques secondes. Je fais dans le très « sorcellerie » ce soir, on dirait.

— Je veux que ça marche. Que ça marche ce soir.

Ce n'est pas très précis, mais dans ma tête, ça l'est. Et puis, il faut que ça reste un peu dans le mystérieux et le flou, sinon ça ne serait pas de la vraie « magie ».

Je me relève un peu. Être assise par terre, ce n'est pas très confortable. J'opte pour mon divan, le meilleur endroit au monde pour être bien ! En même temps, je m'étire un peu pour prendre mon cahier bleu électrique et c'est là que le choc se produit. PAF ! L'image de mon divan jumelée à celle du divan dans une des photos des X frappe de plein fouet la pensée qui traversait ma tête au même moment (je me disais que mon cahier était d'un bleu électrique, un bleu rock, un bleu qui bouge, pas du tout un bleu triste !).

— Les Divans Bleus ! Je l'ai ! C'est cela !

Je me suis mise à me parler à moi-même. J'ai répété « Les Divans Bleus » au moins quinze fois, sur tous les tons. J'ai même fait comme si j'étais une animatrice et que je les présentais en disant, d'une voix radiophonique : « Et voici maintenant la toute dernière chanson de ce groupe extraordinaire... Les Divans Bleus », ou encore : « On écoute *Toi et moi*, la chanson numéro un de l'heure avec les incroyables Divans Bleus!» Ça sonne! Ça se dit bien! C'est court et punché! C'est trooooop coool! J'ai trouvé! C'est même un peu rock! J'adore!

Je cours à la cuisine pour tester ce nom avant de l'annoncer à Rosalie et, en passant devant la fenêtre, je fais un clin d'œil à la lune.

— Maman? Maman? «Les Divans Bleus», dis-moi si ça sonne bien! Dis-moi ce que tu en penses.

— Euh... Oui! C'est bon! C'est original, en tout cas. Pourquoi as-tu choisi « Les Divans »? À cause de TON divan?

— Un mélange de plein de choses, mais en plus, ils ont déjà pris une photo sur un divan et je pense que tout cela mis ensemble, ça a donné comme résultat «Les Divans Bleus».

— N'hésite pas, alors! C'est un bon nom!

Je suis tellement contente que je vais l'embrasser à lui arracher le cou avec mon étreinte.

— Merciiiiii! Je dois appeler Rosalie...

Non! Non! Non! C'est toujours occupé! Pas moyen de la joindre. Quelqu'un a dû oublier de raccrocher le téléphone! Ça n'a pas de sens. Ça m'enrage! J'avais tellement hâte de lui dire la bonne nouvelle. Je ne peux pas juste lui écrire par courriel, ce ne serait pas du tout la même chose. Je décide de la faire languir un peu et lui envoie simplement trois mots : J'AI TROUVÉ. Elle va tellement m'attendre devant l'école demain matin. Ça me met de bonne humeur!

Ma dose d'adrénaline est si forte dans mon corps que je n'arrive pas à dormir. Je réussis même à lire un autre chapitre dans mon livre de sciences. Je suis en avance! Wow! Comme quoi l'énergie produit de l'énergie! En tout cas, pour moi c'est le cas!

Je m'endors incroyablement heureuse! Je détiens les trois mots qui procureront du vrai bonheur à Rosalie. Trois petits mots, ce n'est rien de bien spécial, mais c'est peut-être le passeport pour la gloire. En tout cas, c'est le début de son rêve...

Frédérique et Frédéric

Avant de partir pour l'école, j'ai consulté mes courriels. Rosalie m'a répondu en trois mots elle aussi : C'EST QUOI ????

Ça m'a fait sourire ! Je sais parfaitement ce qui va se passer. Je vois tout comme dans un film dans ma tête. Et je ne pense pas me tromper. C'est très clair ! D'abord, ce matin, elle va m'attendre à l'entrée de la cour d'école. De loin, je pourrai voir son cou s'étirer parmi la marée humaine. Elle va marcher à contre-courant dans la foule pour se faufiler, en jouant des coudes, jusqu'à moi. Quand je lui aurai dit le nom, elle va d'abord sourciller. Il ne faut pas qu'elle montre qu'elle aime trop ça. Elle fera mine d'hésiter. Elle le répétera sur tous les tons puis finalement sautera à mon cou. Elle va même me donner un gros bec sur la joue. Pas gênée, mon amie ! Exubérante, même ! Ensuite, elle passera l'avant-midi à me remercier, à me coller et à me répéter : « Je t'aime donc, Frédou ! » Elle me suivra partout en rayonnant. Ses yeux seront des billes illuminées. Puis, ce midi, elle ira à la bibliothèque pour envoyer le fameux courriel à l'équipe de l'émission. Elle aura peur de se tromper, vérifiera mille fois l'adresse, ses coordonnées et tout. Quand elle aura finalement cliqué sur « ENVOYER », ça ne me surprendrait même pas qu'elle se mette à pleurer et que ce soit en larmes, énervée et folle de joie qu'elle vienne nous retrouver dans la salle étudiante où je serai avec Zoé et Emma. Elle nous racontera avec un élan dramatique que presque toucher à son rêve, c'est vraiment difficile à gérer et qu'elle a les émotions à fleur de peau, qu'elle ne dort plus et ne pense qu'à cela depuis vendredi passé.

Je la connais trop, Rosalie. C'est pile poil ce qui va se produire, j'en suis assurée. Et ça me fait sourire! En fait, tout me fait sourire, aujourd'hui! J'ai l'impression de sortir d'une hibernation. Ma mauvaise passe, mes ennuis scolaires, la mésentente et le stress, c'est derrière moi. J'ai retrouvé mon chemin, mes souliers et mes gros cailloux. Quand l'important va, le reste suit! Je pars donc pour l'école le cœur joyeux. Même si on est en plein mois de novembre, on dirait que j'ai en moi un immense soleil qui rallume un à un mes petits feux d'inspiration. Et tous ces projets m'allument et me réchauffent. Je me sens bien. J'ai tellement hâte de voir Rosalie... Tellement...

Je ne m'étais pas trompée. Tout s'est déroulé comme je l'avais imaginé.

Si on rembobine le tout, il n'y a que lors de son arrivée dans la salle étudiante que la réalité s'est un peu écartée de mon scénario. Rosalie n'a pas pleuré. Étonnant quand même! Mais elle s'est efforcée de parler bien fort quand elle nous a décrit en détail l'envoi du nom par courriel pour que tout le monde autour entende bien. Rapidement, la nouvelle s'est propagée. Il y a eu comme un grand murmure dans la salle étudiante. La rumeur circulait. L'excitation était palpable. Certains ont dit avoir participé aussi, ce qui augmentait les chances de l'école. Je trouvais ça bon signe. Mais en analysant le visage de Rosalie, j'ai compris qu'elle ne considérait même pas que les autres aient une chance. Elle prétend qu'on va gagner avec mon nom ou on ne gagnera pas du tout. C'est un peu beaucoup...

OK! Bien sûr! J'aimerais bien que mon nom soit choisi, mais j'aimerais surtout avoir la chance de voir le spectacle des X dans mon école... Alors si un autre participant de l'école gagne, je serai aussi un peu gagnante, non ? J'ai eu beau essayer d'expliquer cela à Rosalie, elle ne démordait pas de sa position. Pour elle, c'est tout ou rien.

— On ne peut pas toujours tout avoir, Rosie ! Fais attention ! a prévenu Emma, philosophe.

— Tu ne peux pas comprendre. J'ai de l'ambition, moi, a répliqué Rosalie.

— C'est un concours qui concerne toute l'école. Tu ne penses pas trop aux autres, je trouve, a continué Emma.

— Pourquoi tu dis cela ? Si mon nom gagne, l'école au complet va avoir droit à un spectacle... grâce à moi.

— Tu vois, tu ramènes tout à toi... Fais juste attention ! Et puis, « ton » nom, c'est plutôt celui de Fred ! T'es mieux de le dire si jamais « TU » gagnes, a lancé Zoé.

— Bien sûr ! On est toutes les deux là-dedans. Ensemble. Vous allez voir ! Ce sera génial et vous ne m'en voudrez plus d'être ambitieuse !

— On dit juste que ça pourrait blesser les gens. Tu penses à Fred, là-dedans ? Tu lui as dit merci ? Tu le dis aux autres que c'est Fred qui a trouvé le nom ? Vous êtes « ensemble » dans ce concours, a sourcillé Emma en mimant les guille-mets pour narguer un peu Rosalie.

— Tu te sens blessée, Fred ? m'a tout de suite questionnée Rosalie.

— Euh, non, non ! Je l'ai d'abord fait pour toi. Vraiment, moi je ne pense pas qu'un concours comme ça pourrait changer ma vie. Mais si tu ne le disais pas du tout ou si tu ne me disais pas un petit merci, c'est vrai que ça pourrait me faire de la peine.

— Bon ! Tu vois ! Promis, je vais le dire à la télé si « on » gagne. Tout le monde va être content, surtout vous deux, Emma et Zoé. Je vais commencer à croire que vous êtes jalouses ! a conclu Rosalie avant de s'en aller retrouver une petite gang qui parlait du concours des X de la musique, assis sur un divan à l'autre bout de la salle étudiante.

Emma, Zoé et moi avons levé les yeux au ciel avant d'éclater de rire. Rosalie, c'est Rosalie ! Et en période de grand stress et d'énervement, elle est encore pire. C'est plus fort qu'elle, elle se croit le centre de tout l'univers. Rien de moins ! C'est pour ça que, des fois, on a besoin de lui remettre les pieds un peu sur terre. C'est ce qu'on vient de faire toutes les trois sans même se le dire. Emma et Zoé trouvent le nom formidable aussi. « Les Divans Bleus », ça rocke vraiment ! Et pour nous, ce nom a une double signification. On l'aime deux fois plus. Mais si ça passe, ça passe ! Sinon, ce n'est pas plus grave. Reste que, dans notre tête, le vrai nom des X sera toujours Les Divans Bleus.

Cependant, Rosalie ne pense pas comme ça. Elle veut gagner. Elle est certaine de gagner. Je ne sais pas d'où elle peut tenir cette certitude. Un concours, ça reste un concours...

Je la regarde en train de gesticuler et de parler avec les autres élèves quand je sens quelqu'un s'asseoir à côté de moi.

Frédéric.

— Tu fais quoi ?

— Euh... ben... un peu mes devoirs, un peu de lecture, un peu de dîner...

— Et un peu de chanson ?

Je vais m'évanouir. Je vais m'évanouir. Je manque d'air. Je manque de salive pour parler. Je capote.

— Oui, un peu aussi !

Il sourit. Fiou ! Et il ne se sauve pas. C'est toujours ça de pris.

— Merci, Fred, d'essayer de composer quelque chose pour moi. Quand Emma et Zoé m'ont dit que tu acceptais, j'étais soulagé. C'est tellement pas évident. Mais à deux, on devrait trouver !

Hier soir, j'ai commencé une chanson puis, après quelques lignes, je ne savais plus quoi écrire. C'était bloqué dans ma tête. J'ai pris ma guitare et j'ai composé de la musique, à la place.

Je sais que je devrais parler. Prononcer une minuscule parole. Faire au moins un signe. N'importe quoi, mais je reste figée. En plus, je sais très bien que mes deux folles d'amies, assises juste à côté de moi, font semblant de résoudre de savants calculs mathématiques, alors qu'elles s'évertuent plutôt à entendre ce qu'on se dit. Emma me donne des coups de genou pas très subtils. Ça suffit! J'ai déjà assez de misère à écouter et à réactiver mon cerveau. Je pile sur le pied d'Emma et me tourne un peu plus vers Frédéric. Elles sont vraiment épouvantables!!

— Ça t'arrive à toi aussi?

Hein? Quoi? J'en ai manqué un bout! De quoi parle Frédéric? C'est la faute d'Emma.

— De prendre ma guitare?

— Non, non! Mais d'être bloquée dans tes idées...

En disant cela, il sourit de nouveau. Il m'a surprise dans la lune.

— Oh! Ça! Oui, souvent! Vraiment...

— Tu joues de la guitare?

— Non! Pas du tout. J'étais juste un peu mêlée dans ce que tu disais. Désolée... Excuse...

— Tu as commencé quelque chose comme chanson?

— Oui et non. J'ai une technique un peu spéciale. Je ramasse des idées. Je note plein de mots. Là, tout est dans mon cahier. Puis, je laisse un peu mijoter ça. Je les lis, les relis, note d'autres idées ou mots auxquels ça me fait penser et après je me mets à écrire. Ensuite, tout se met en ordre. Euh... ben... D'habitude, je fonctionne comme ça, mais il faut que je te dise, je n'ai jamais écrit de chanson.

Là, en direct de la salle étudiante, je pourrais probablement être confondue avec un panneau d'arrêt tellement je dois être rouge! Je ne peux pas croire que je suis en train de lui raconter ça.

— Wooouuuhhh! C'est hot ce que tu dis! Je n'y avais jamais vraiment réfléchi, mais ça a ben de l'allure.

— J'imagine que chacun a sa manière de faire... La mienne n'est pas mieux que la tienne, tu sais...

Voyons! Je me mets à bredouiller, à m'excuser et à me justifier. Ce n'est pas mon genre. Habituellement, ça ne me dérange pas du tout de ne pas faire comme tout le monde. Mais l'assurance de Frédéric, son esprit curieux qui veut savoir comment j'arrive à créer, son intérêt envers moi et sa capacité à vraiment m'écouter, tout cela est un peu bouleversant. Disons que ça fait changement de Rosalie qui me poussait dans le dos. Il y a aussi qu'il est beaucoup plus beau que Rosalie. Pas que Rosalie ne soit pas belle. Mais c'est une fille et elle ne m'intéresse pas. Je ne veux pas dire qu'elle n'est pas attirante ou remarquable. C'est que c'est Rosalie! Et que Frédéric, lui, c'est un gars! Et qu'il est vraiment beau! Ahhh! Voyons! Mon cerveau peine à réfléchir comme il faut! Mais qu'est-ce qui se passe? Pourquoi mes joues sont-elles si brûlantes? Et pourquoi fait-il subitement si chaud? Ce sont des gouttes de sueur sur mon front? Quelqu'un a touché au chauffage dans la pièce?

— Hé! J'y pense..., s'exclame-t-il. Tu voudrais qu'on se rencontre ce soir après l'école pour se montrer nos débuts de chansons? J'apporterais ma guitare. Ça pourrait t'aider dans tes idées?

Je dis oui ou je dis non? Je ne sais plus. J'hésite.

En fait, je dois dire NON parce que je n'ai pas encore le droit de rester à l'école après mes cours. Ma mère ne vérifie plus mes devoirs, mais n'a pas plié pour l'heure de mon retour. Je ne peux pas répéter à Frédéric que j'ai un couvre-feu, il va penser que je suis un bébé et que ma mère me surveille. C'est la vérité, mais mieux vaut mourir que de l'avouer!

Je dois dire OUI parce que c'est Frédéric, parce que j'ai envie d'écrire avec lui, parce que je veux qu'on apprenne ensemble à écrire une chanson, parce que j'ai envie d'être assise à côté de lui, de me perdre dans ses yeux, de l'écouter me parler, parce que le courant passe entre nous, parce qu'il est sensible et que ça me charme, parce que je veux l'entendre jouer de la guitare, l'entendre jouer juste pour moi, parce que ça me tente d'être avec lui... point! (Et c'est suffisant comme raison!)

— Euh... noui! Excuse! Je ne peux pas après l'école. J'ai déjà quelque chose, mais peut-être après le souper?

— Super! On se donne nos numéros de téléphone et on s'appelle. Ça te va? J'irai chez toi pour que tu n'aies pas à marcher quand il fait noir, le soir...

Ahhhhh! Juste pour ce bout de phrase, cette précaution, cette douce attention, ma mère va accepter qu'il vienne à la maison. Pendant que j'essaie de ne pas trop trembler en écrivant mon numéro de téléphone et mon courriel sur un bout de papier, Emma continue à cogner sur mon genou.

— Merci, Frédérique! sourit-il tandis qu'on s'échange nos coordonnées. À plus tard, alors! On verra ce que ça donnera, mais j'ai vraiment un bon feeling! Un vraiment bon feeling, je te le dis! Ciao! Bon après-midi!

Puis, il s'en va. Tranquillement. Relaxe. Sûr de lui. Moi, je reste là, le cœur battant, les joues cramoisies, énervée comme Rosalie, mais ne le montrant pas. Je ne suis nullement sûre de moi, mais tellement heureuse. Ça, oui! Heureuse!

Étonnamment, Emma et Zoé attendent tout de même que Frédéric disparaisse derrière les casiers avant de s'écrier : « J'ai vraiment un bon feeling » en l'imitant. Elles sont au bord de l'apoplexie ! Elles se mettent à parler très vite et sur un ton très aigu.

— Tu vas le voir ce soir !

— Il t'a donné son numéro de téléphone et son courriel !

— Tu lui plais, c'est clair !

— Frédou, tu imagines ! Vous allez peut-être devenir un couple célèbre de compositeur et musicien !

— Trop tooooop ! Il est tellement charmant ! Tellement prévenant ! Tellement pas compliqué !

— Frédou ! T'es géniale et il l'a remarqué !

Les deux projets d'écriture – le nom et la chanson – avaient déjà allumé de petits feux en moi. Mais depuis le passage de Frédéric, tout s'est vraiment embrasé. Je me sens renaître, littéralement ! Tout semble possible et surtout si facile, avec lui... Ça donne envie de rêver au maximum. Le seul problème est que j'ai dû emmagasiner de la rougeur – de gêne, de plaisir et de bonheur – pour les huit prochaines heures. Je serai encore couleur homard quand il arrivera chez moi...

La cloche du début des cours m'a sauvée du délire de mes deux amies. Avant de retourner en classe, j'ai dû leur jurer de leur faire un compte rendu ce soir après son départ. Autrement, elles m'ont menacée de venir sonner à la maison pour nous surprendre et jouer les chaperons! Oh non! Je veux garder mon cocon d'intimité, ma bulle de créativité et mon oasis de tranquillité avec Frédéric, ce soir. Déjà que ma mère va sûrement nous espionner discrètement. Pour avoir la paix, je leur ai donc promis un courriel... Le plus difficile est maintenant de savoir comment je vais tenir le restant de la journée assise sur ma chaise. Mes cours vont me paraître tellement longs.

J'aimerais donc pouvoir avancer le temps... Tiens, je comprends tout à coup la hâte de Rosalie...

J'avais un peu raison de vouloir que cet après-midi passe vite. Ce qui m'attendait était tout simplement... tout simplement... top top top !

Je termine à l'instant ma soirée avec Frédéric et j'ai le cœur qui flotte. C'était... c'était... formidable. Dès le moment où il est entré dans l'appartement, j'aurais voulu arrêter le temps, l'étirer délicatement pour que la soirée dure une éternité. Mon cœur était une montgolfière et je me sentais flotter librement dans l'air. Je me laissais porter sans peur, sans stress. C'était calme et doux. Le contraire de Rosalie !

J'ai quand même cru mourir quand j'ai dû ouvrir mon cahier bleu électrique devant lui. Partager mes mots et mes idées, c'était lui donner accès à... moi. À moins de ne pas être une lumière – et ce n'est pas son cas ! –, il allait comprendre que ces mots reflétaient ce que j'ai vécu ces derniers jours, qu'ils étaient le miroir de mon âme ! L'accès privilégié à moi. Portes ouvertes ! Entrez !

Ça m'a fait un peu peur.

Puis, tout s'est estompé. Jamais il n'a émis un commentaire négatif sur mon écriture. Jamais il n'a ri devant ma liste de mots. Parfois, il a sourcillé un peu et m'a demandé le sens de certains passages. Mais sans plus. Il avait l'air intéressé – il l'était pour vrai, je pense ! – et surtout il en rajoutait ! Dès que je lui lisais un mot, que je lui expliquais ce que ça signifiait pour moi, il lançait d'autres idées. Tout cela pour dire qu'à la fin on devait avoir bien plus que 100 mots devant nous : 100 graines d'idées, 100 projets de chansons et 1000 débuts de refrains. Il ne nous restait qu'à faire le tri... Je lui ai proposé qu'on dorme là-dessus et qu'on s'en reparle un peu plus tard. Le concours n'est que dans une semaine et c'est franchement impossible que l'inspiration me déserte tout ce temps. Je vais réussir. Surtout que là, je ne sens pas de pression comme avec Rosalie. Je sens que Frédéric et moi formons une vraie équipe. Mes idées vont se nourrir des siennes et vice versa.

Subtilement, j'ai noté les trucs qui semblaient l'accrocher le plus. Je les ai soulignés de quelques traits rapides de crayon. Certaines expressions, certaines images et certains mots qui, quand je les prononçais, lui faisaient plisser les yeux. J'y ai vu un signe...

Et puis, il a joué. Quand il a saisi sa guitare, qu'il a gratté les cordes et qu'il a levé les yeux vers moi pendant que la musique ensorcelait la chambre, j'ai remercié la vie d'avoir les deux fesses écrasées sur mon divan rose.

Si j'avais été debout, mes jambes auraient claqué ensemble, faisant un bruit de percussion plutôt discordant avec la mélodie que Frédéric jouait. C'était vraiment beau! J'ai même entendu les pas de ma mère s'arrêter devant la porte de ma chambre. Elle aussi écoutait.

Puis, il est parti vers 21 h. C'était trop tôt, mais c'était prévu ainsi. Ma mère avait dit: «Oui, mais jusqu'à 21 h max!» Elle doit l'avoir trouvé charmant de ne pas avoir essayé de repousser son heure de départ. Je n'ai même pas eu à lui rappeler quelle heure il était et ma mère n'a pas eu besoin de venir cogner à ma porte. Ça aurait été la honte!

Ma soirée était déjà terminée. POUF! Je suis revenue dans la réalité, comme Cendrillon au douzième coup de minuit. J'ai écarté un peu les rideaux de ma chambre pour le regarder marcher sous une lune presque pleine. J'ai fait un clin d'œil en direction de l'astre lumineux, juste comme cela. Comme un rituel qui fait du bien! Comme un remerciement silencieux pour les moments merveilleux que j'ai vécus.

Trop top, ma soirée! Je n'ai pas vu le temps filer, ça doit être un signe que... c'est bon signe! Ou quelque chose du genre. J'ai un peu de difficulté à réfléchir de façon rationnelle. J'ai la tête dans mes morceaux de chansons.

Étendue sur mon divan, je me dis que je devrais écrire à mes amies avant qu'elles ne s'impatientent. Je m'exécute sans grand enthousiasme! J'aimerais mieux garder mon cerveau en mode création plutôt qu'en mode récapitulation de ma soirée. Mais une promesse, c'est une promesse!

J'avais déjà huit courriels d'elles, dont quatre de Rosalie. Dans l'un d'eux, elle nous propose de faire une soirée spéciale demain soir sur mon divan rose durant l'émission où on dévoilera le gagnant.

On va vivre ça en direct! Trop cool!
Reste seulement à demander à ma mère...

Le grand soir

Puisque ma mère a dit oui, nous voilà assises sur mon divan, bien collées en attendant que l'émission *Les X de la musique* commence. On a toutes hâte. Les filles me pressent de leur raconter encore et encore ma soirée d'hier. Elles l'ont décortiquée, analysée, scrutée et... jalousée! Non, plutôt enviée. Elles m'ont trouvée exceptionnellement chanceuse! Même Rosalie a avoué, du bout des lèvres, que Frédéric n'était pas mal.

Pas mal? Il est plus que «pas mal». Il est... le genre de gars qu'il me faut. Un peu dans sa tête, capable de s'extérioriser (mais pas trop!), qui veut faire équipe avec moi et qui semble me comprendre. Et ça, c'est toute une qualité quand on a affaire à une Frédérique comme moi ! Des fois, je me dis que c'est parce qu'on s'appelle Frédéric tous les deux qu'on se complète si bien.

Dix minutes avant le début de l'émission, Rosalie atteint l'apogée de sa surexcitation. C'est intenable, ingérable et totalement épouvantable. On dirait une puce hyperactive sur un buzz de sucre ! Elle n'arrête pas de bouger. Quand elle est assise, elle gigote sur une fesse, puis sur une autre et finalement se lève. Une fois debout, elle piétine sur place ou elle arpente la chambre en frappant tellement fort du talon que ma mère doit venir nous avertir ! Elle parle sans cesse... pour elle-même ! Elle récite ce qui ressemble à une prière : « SVP ! SVP ! SVP ! Faites que je gagne ! Euuuuh ! Faites qu'on gagne. SVP ! SVP ! SVP ! » Inlassablement. Si elle pouvait ensorceler la télévision pour être certaine de gagner, elle le ferait. Emma, Zoé et moi, on continue à jaser de ma soirée d'hier et du concours de l'école.

Parce qu'elle fait partie du comité orga-nisateur, Emma m'a appris qu'il y aurait 16 participants et que la direction de l'école a même déjà envoyé l'information aux journaux de la ville. Peut-être que ça deviendra « gros », notre concours d'école.

Quand la musique du début de l'émis-sion démarre, Rosalie pousse un grand cri. Je commence à avoir hâte aussi, mais surtout pour que Rosalie se calme un peu. Elle se languit de savoir, je le sais! L'école, la ville, l'univers tout entier le sait, je crois!

Je veux gagner aussi, je l'avoue. Les deux concours sont importants pour moi, pour mille raisons différentes. Et puis, recevoir les futurs ex-X de la musique – et futurs nouveaux Divans Bleus! – en spectacle à l'école, ce serait une chance incroyable! Une occasion qui n'arrive pas souvent! Presque jamais, en fait. Et on est si près du but!!

« Restez à l'écoute pour connaître le nouveau nom officiel des X de la musique ! », « Plus d'infos après la pause ! », « Le grand dévoilement du nom au retour des publicités ! », etc. Toutes les formules sont bonnes pour nous faire patienter. Patrice, l'animateur, fait durer le suspense. Depuis le début de l'émission, on est toutes les quatre assises sur le bout de mon divan, entortillées les unes aux autres, les mains jointes, les doigts croisés. La chance devrait être au rendez-vous. On est aussi sur le bord de voir nos cœurs jaillir hors de nos poitrines tellement on est énervées ! Le suspense a assez duré. On n'est même plus capables de calmer Rosalie. J'ai peur qu'elle s'évanouisse pour vrai, que ce soit de joie ou de déception. Qu'est-ce qu'on fait si cela arrive ? Cette idée me rattache à la réalité. On dirait que je suis moins énervée que les autres parce que je pense à ça. Ça me fait peur.

Tout au long de l'émission, l'angoisse monte d'un cran chaque minute. L'animateur et les trois gars de la formation expliquent que, lundi, ils seront dans l'école du grand gagnant pour une prestation d'une trentaine de minutes suivie d'une séance d'autographes et de photos avec celui ou celle qui a trouvé le nom. C'est long! Rosalie hurle trois ou quatre fois: « On le sait, tout ça. Là, on veut savoir qui est le gagnant! » Elle converse avec l'animateur, lui coupe la parole et fait mille remarques comme s'il pouvait l'entendre. Quand le grand dévoilement arrive, il est plus que temps. Rosalie commence vraiment à dérailler! Je pensais qu'il ne nommerait le gagnant qu'à la toute fin de l'émission, mais juste avant l'avant-dernière pause publicitaire, l'animateur se présente avec une grande enveloppe dans les mains! On fixe l'écran sans même cligner des yeux pendant que Patrice décachette l'enveloppe du bonheur, celle qui renferme – peut-être – le passeport de Rosalie pour la gloire.

— Alors, voilà! Oh! C'est pas facile d'ouvrir une enveloppe d'une seule main..., dit l'animateur en riant pour faire durer le suspense.

— OUUUUUVREEEEEEE! crie-t-on toutes en chœur dans ma chambre.

— Oh!

Juste à voir l'air hébété de l'animateur, on comprend qu'il y a un problème. Il y a un flottement. Une seconde qui semble en durer 2000!

— Oh? Oh, quoi? s'écrie Rosalie en se levant, paniquée. QUOIIIII??

Comme s'il l'avait entendue, Patrice s'explique.

— Quelle histoire! Vraiment! À l'émission *Les X de la musique*, tout est possible. Ce soir, j'ai deux noms à vous soumettre. Ensuite, d'ici la fin de l'émission, soit dans 15 minutes, vous pourrez voter pour LE nom que vous préférez ! Voici donc les deux noms qu'ont retenus nos juges... Les DéZastres et Les Divans Bleus. Vous pouvez voter par Internet, par télépho...

WAHOUUUUU ! On est là ! On a réussi ! Emma et Zoé sautent littéralement sur moi. Je n'en finis plus de rire et de crier. Elles non plus ! Ma mère – qui écoute l'émission dans le salon – entre dans ma chambre en criant aussi. On doit être belles à voir ! On touche à un bout de bonheur ! Pendant qu'on se serre dans nos bras, je remarque que Rosalie reste droite comme un piquet, sans bouger, figée devant la télévision, les deux mains sur la bouche d'où ne sort aucun son. Aucune réaction. Aucune émotion.

— Rosalie ? Rosalie ? dis-je en la tirant vers nous.

— ...

— On y est presque ! Tu réalises..., ajoute Zoé.

— Je réalise qu'on a surtout presque perdu, rétorque notre drama-queen en s'assoyant comme si tout le poids du monde était sur ses épaules.

— Beennnn voyons ! fais-je. Notre nom a été choisi parmi tous ceux qu'ils ont reçus et t'es déçue ?

— Dans la vie, on ne peut pas gagner à moitié, se plaint Rosalie.

Ça fait exploser Emma, qui n'en peut plus.

— T'es juste jamais contente ! Tu ne savoures rien dans la vie ! JAMAIS ! Non, ne me contredis pas, Rosalie. Je ne veux plus t'entendre pleurnicher ! Votre nom a été sélectionné, tu pourrais au moins manifester un microgramme de joie ! Ben non ! C'est plus facile de chialer encore et de te plaindre. J'ai presque pas le goût de t'aider. Tu me fâches tellement ! T'es tellement... tellement compliquée pour rien ! Mais là, tu vas faire un effort, un vrai ! Parce que Fred t'a aidée toute la semaine pour ce nom-là! Tu ne vas pas laisser tomber si près du but. Tu vas te retrousser les manches et tu vas nous aider à voter! Go! Tu dois bien cela à Fred, non?

Le discours d'Emma secoue Rosalie. Des larmes se mettent à couler sur ses joues et elle murmure un faible: « T'as raison... »

— Vite! Faut voter! Vite! nous presse Zoé pour clore la prise de bec entre Emma et Rosalie.

Elle a raison. Pas le temps de consoler Rosalie ni de calmer Emma, il faut passer à l'action. Mes amies appellent vite leurs parents pour les inviter à voter. Je pianote sur mon ordinateur pendant que ma mère court chercher le sien pour doubler nos votes, tout en demandant à son amoureux de « pitonner » sur leurs cellulaires. Une machine de votes s'est mise en branle dans la maison et on carbure à la frénésie!

On affiche toutes un énorme sourire. Même Emma a retrouvé le sien. Toutes sauf Rosalie dont les larmes continuent de rouler sur ses joues. Elle « fonctionne ». Elle vote. Mais les larmes tombent toujours. Elle ne semble pas savoir comment arrêter leur déversement.

Tout en votant sur Internet, j'ai vu que j'avais reçu un courriel de Frédéric. L'objet de son message ? « Je vote pour vous ! »

Il est franchement trop gentil. Ça se peut ?

— C'est terminé ! Vous pouvez arrêter, lance Zoé qui gardait un œil sur le téléviseur. L'animateur vient de dire que le temps de vote était écoulé. Ils sont en train de compiler le tout.

Rosalie a rendu le téléphone cellulaire à ma mère. J'espère qu'il est fabriqué à l'épreuve de l'eau, car elle pleure encore. Il faut que je m'en occupe. Si je laisse Emma réagir, elle criera encore et ce n'est pas ce dont Rosalie a besoin... même si je trouve qu'elle exagère.

— Pourquoi tu pleures, Rosalie ? On a peut-être gagné...

— Hummm ! Hummm ! T'as raison. Je ne suis juste pas capable d'arrêter mes larmes. C'est comme... trop ! Je suis tellement énervée !

— Tu as toujours un peu tendance à exagérer, en plus..., poursuit Zoé.

Je regarde vers Emma. J'aimerais qu'elle dise un petit mot encourageant à Rosalie. Elle secoue la tête. Elle préfère ne rien dire pour ne pas risquer de se fâcher encore. Parfois, quand on sait que ce qu'on va dire va sortir tout croche, on est mieux de se taire. Emma ne se fâche pas souvent, mais quand elle le fait, c'est mémorable !

Pendant la dernière pause avant le vrai de vrai grand dévoilement, mes amies et moi ne savons plus trop quoi dire. On ne peut pas expliquer et réexpliquer. On attend dans le silence en se tenant les mains.

Moi, je suis contente. Déjà émue que mon nom ait séduit les juges. C'est une victoire personnelle. Ma soirée pourrait se conclure ainsi et ce serait correct. Mais je sais que ce n'est pas le déroulement souhaité par Rosalie. Le fait qu'il y ait deux finalistes, c'est une défaite pour elle. Un cuisant échec ! Une réaction exagérée, je le sais bien, mais les émotions – et surtout celles des autres –, ça ne se contrôle pas comme ça ! Il faudra peut-être que je parle à Rosalie de ma théorie sur les gros et les petits cailloux. Je pense qu'elle en aura besoin.

Elle en aura vraiment besoin. Vraiment.

Notre nom est arrivé deuxième. Pour Rosalie, ça veut dire « dernier ! ». C'est à cause de son côté dramatique. Elle est partie de chez moi démolie. Pour elle, son rêve est fichu et elle ne voit pas du tout comment elle pourra à nouveau sourire.

J'ai le cœur en miettes. Pas juste en miettes, en sable, en poudre fine. Pour elle.

C'est étrange. Pour moi, ce n'est pas une catastrophe. Je suis même plutôt fière. Mon nom a été sélectionné parmi des centaines d'autres. Faut quand même le faire ! Pour Rosalie, c'est la fin de son rêve. Pourtant, on n'est pas vraiment perdantes. Les nouveaux DéZastres vont quand même passer à notre école lundi prochain. Ils chanteront quelques chansons, feront un court enregistrement pour l'émission et prendront aussi le temps de rencontrer Rosalie et moi. Je suis aux oiseaux ! Je suis méga top contente !

Samedi, je dois donc remonter le moral à Rosalie. Elle le traîne dans ses talons.

Je lui offre d'aller au centre commercial pour trouver un chandail cool pour notre passage à la télé. Mais elle décline l'invitation. Emma, Zoé et même Frédéric sont tout excités pour nous. Il n'y a que Rosalie qui n'arrête pas de pleurer. Elle est fragile, toujours sur le bord de faire jaillir de ses grands yeux des torrents de larmes. On doit faire attention à ce qu'on dit ; c'est très lourd à porter.

Dimanche, elle ne me donne pas signe de vie. Comme elle l'a fait la semaine passée, je la mitraille à mon tour de messages : au téléphone, sur le cellulaire de sa mère, par courriel, sur le portail de l'école, partout. Pas de réponse. J'en profite pour faire mes devoirs et mon étude, le tout entrecoupé par l'écriture de la chanson pour Frédéric. Mais mon cœur est un peu torturé. J'imagine Rosalie recroquevillée dans son lit en train de pleurer des heures entières et ça me ronge par en dedans. Quand notre amie souffre, on souffre toujours aussi. Puis, vers 18 h, me parviennent trois simples mots par courriel : « Je me relève. » Rosalie va mieux. C'est bon signe. Je retrouve une respiration normale et je vais peut-être pouvoir écrire un peu ce soir...

Je n'ai pas vraiment écrit. Juste de petits bouts de phrases que j'ai cousus ensemble. Le résultat est intéressant. Je l'ai écrit sur une feuille et vais essayer de la remettre à Frédéric. Mais ce qui m'importe le plus ce lundi matin, c'est de trouver Rosalie. J'ai besoin de la voir pour m'assurer qu'elle est vraiment bien.

Incroyable ! Elle est méconnaissable comparativement à vendredi soir et même samedi après-midi. Elle ne pleure plus, c'est déjà un bon début. Mais elle a perdu un éclat au fond des yeux. J'y décèle même de la froideur. Un feu mort.

— Ça va?

— Bof... disons que ça pourrait aller mieux. Mais je vais y arriver.

— Profite donc un peu, Rosalie. Ce n'est pas une défaite. Ils vont être à l'école tantôt. C'est génial! Je veux que tu souries!

— Je vais essayer.

— Essayer? Pourquoi t'es pessimiste de même?

Outch! Je voulais l'aider, et non pas lui taper encore plus sur la tête avec mes remontrances. Je n'use pas d'une super stratégie... Mais ça l'a secouée quand même. Fiou!

— Là, je suis juste réaliste. Ce que je n'ai pas été la semaine dernière. J'ai tellement imaginé qu'on allait gagner que je n'ai même jamais pensé une seconde qu'on pourrait perdre. Jamais. J'étais trop convaincue, trop certaine! J'étais dans ma bulle et j'étais bien. Je me voyais gagner, je voyais ma vie changer et tout. Je me voyais à la télé. Puis, paf!

Ma bulle s'est crevée. Écoute, hier j'ai réalisé que j'avais perdu une semaine de mon temps ! Tu sais ce que c'est, une semaine ?

— Ben oui !

— Non, non ! Tu ne sais pas. C'est 7 jours, 168 heures, 10 080 minutes, 604 800 secondes. Pendant ce temps-là, je ne vivais pas. J'attendais. J'ai mis ma vie sur pause pour attendre un grand moment qui ne vient qu'à moitié. C'est poche. Mais c'est surtout frustrant. Hier, j'étais vraiment, mais vraiment fâchée. Contre moi. Contre ma manie d'imaginer que ma vie va changer par magie... presque par hasard. Un peu plus et je crois encore au père Noël !

Je ne sais pas quoi dire. Je suis triste pour Rosalie, mais en même temps soulagée. Elle revient dans la réalité. Peut-être pas sa vie de rêve, mais sa vie à elle. Je la laisse parler pendant qu'on marche vers l'école. Elle en a besoin.

— Et pendant ce temps-là, toi, Emma et Zoé faisiez des actions concrètes pour que vos vies soient « hot », pour qu'elles aient du « oumpf », pour vous sentir vraiment bien. Moi, je planais sur un petit nuage rose. Il s'est crevé vendredi soir. Je ne plane plus. Je me suis écrasée. Écrapoue. Là, je me relève. C'est difficile. Surtout à avouer. Je vais avoir de la misère à regarder Emma. Je sens qu'elle va me faire sa face de « Je le savais ! » et je me demande si je vais pouvoir supporter ça ! Vous aviez raison, mais dans ma bulle j'étais sourde à tout ce que vous disiez... Une belle tarte !

— Mais non ! Emma ne fera pas ça... ben peut-être un peu. Mais avoue que tu l'as cherché. Tu n'as pas été super fine quand elle m'a parlé du concours de l'école pour la première fois. Mais je sais une chose, par contre : elle sera bien contente de voir que tu es redescendue sur terre. Toi, tu planes facilement.

Elle, elle ne décolle pas trop souvent. Vous vivez vos rêves autrement. Tu l'as déjà secouée un peu, Emma! Rappelle-toi quand tu lui disais qu'elle était trop «plate», trop rationnelle. Ce n'est pas plus facile à entendre que ce qu'elle te dit!

— T'as raison! C'est juste difficile d'admettre que je me suis trompée... Je n'aime pas ça.

— Peut-être, mais c'est fait. On n'est pas obligées de ressasser ça toute la journée. Y a comme autre chose de l'fun qui nous attend, tu ne penses pas? Il y a quand même un spectacle, aujourd'hui! Tu vas quand même les rencontrer! On va les voir en «vrai»! On va prendre une photo avec eux! C'est pas rien!

— Je sais! Je sais! Je suis encore contente. Mais si je m'énerve trop... j'ai peur d'être encore déçue et ça ne me tente pas...

— Arrêêêêêête! Tu dramatises encore... J'ai une idée! Et si tu profitais du moment qui passe. Là. Pas celui de ce soir. Celui de cette minute précise. Focus.

— OK... Je t'aime, Fred. Une chance que tu es toujours là.

— Oui, oui, je sais... Parlant de mon aide fabuleuse, il faut que je te raconte un truc à propos des cailloux... ça va t'aider!

Rosalie a grand besoin d'un ménage dans ses cailloux. C'est bien clair! En la prenant par le bras, je l'entraîne vers la porte de l'école.

Le jour tant attendu?

Je suis un cordonnier mal chaussé. J'ai dit à Rosalie de savourer, alors que j'ai passé la matinée à souhaiter que le temps aille plus vite. J'ai croisé Frédéric. Il était pressé pour se rendre à son cours, mais il m'a dit : « On se voit ce soir. Je dois te demander quelque chose... » en posant sa main sur mon avant-bras. Instantanément, j'ai senti une chaleur m'envahir. J'ai rajouté CHALEUR COURANT ÉLECTRIQUE dans mon agenda.

Quand la cloche du dîner a finalement sonné, toute l'école s'est précipitée dans le gymnase. Une marée humaine incontrôlable. J'ai suivi le courant avec mes trois amies. On était folles de bonheur. Emma et Rosalie semblaient s'être réconciliées. On pouvait juste savourer...

L'équipe de télé avait eu le temps d'installer son matériel dans le gymnase. Une petite scène avait été aménagée rapidement. Tout le monde tapait des mains. Certains sifflaient. On attendait les DéZastres avec fébrilité. Incroyable quand même de penser qu'ils étaient ici, à notre école... grâce à moi, entre autres! Je me suis sentie fière. Partout autour de moi, je voyais des sourires. J'ai balayé le gymnase de mon regard. J'ai remarqué les caméras de télévision, des journalistes de l'hebdo de la région, Raphaël avec sa caméra au cou qui a levé le pouce en ma direction, Frédéric avec sa gang de basketball qui m'a souri longuement, la directrice de l'école qui applaudissait avec ardeur (je la soupçonne d'être une vraie fan de musique) avant d'apercevoir le sourire doux sur les lèvres de Rosalie. Pas un sourire forcé. Pas un sourire exagéré. Ni même un sourire pour bien paraître.

Non, un sourire sincère d'une fille qui est bien. D'une fille qui plante ses pieds dans la vraie vie, qui la savoure et qui se laisse envelopper par ce qui se passe là. Maintenant. Présentement.

Avoir trouvé le nom Les Divans Bleus sans qu'il ait été proclamé grand gagnant, c'était finalement le plus beau cadeau que je pouvais faire à Rosalie.

Puis, tout à coup, la musique a envahi le gymnase. Tout s'est électrifié. Les DéZastres ont interprété deux chansons coup sur coup avant que l'animateur de l'émission s'avance vers le micro pour prendre la parole. On savait ce qui s'en venait. Mon cœur a fait mille tours. Il cognait tellement fort dans ma poitrine que j'avais de la misère à respirer. Je sentais les pulsations jusque dans ma gorge. J'ai cherché la main de Rosalie. Devant, l'animateur parlait, mais je n'entendais plus rien. Je ne sentais que mes doigts se faire écrabouiller par ceux de Rosalie et des petits coups de coude sur mon bras droit venant d'Emma. Elle était tellement énervée, elle aussi ! Zoé tenait Rosalie de l'autre côté. Agglutinées toutes les quatre, on sautillait sur place.

« Alors j'invite Frédérique et Rosalie sur la scène. Elles méritent vos applaudissements les plus délirants, car c'est grâce à elles qu'ils sont ici ! Ne l'oubliez pas ! »

On s'est faufilées à travers la foule, puis on a grimpé sur la scène improvisée sous un tonnerre de cris, de sifflements et d'applaudissements. On aurait dit que c'était nous, les grandes vedettes. Les trois DéZastres se sont approchés pour nous donner deux becs à chacune. J'ai souri... un peu par gêne mais aussi parce que j'ai pensé qu'on devait faire des tas de jalouses dans l'assistance (et madame la directrice la première !). J'étais fière. Toute l'école scandait : « Les Divans Bleus ! » Je vais m'en souvenir toute ma vie. Je ne pense pas que je serai un jour une vedette. Je ne me vois pas dans une vie où les projecteurs seraient toujours sur moi. Alors ce petit moment de « gloire » – peut-être le seul de ma vie –, je l'ai savouré. Main dans la main avec Rosalie.

Puis, Rosalie s'est avancée vers Patrice. J'ai eu peur. Oh non ! Elle allait parler ? Ça ne me disait rien de bon ! Je pensais qu'elle avait compris. Elle allait sûrement essayer de passer des messages devant les caméras...

— Je voudrais simplement prendre quelques secondes pour remercier mon amie Frédérique. Merci, Fred ! T'es trop géniale ! C'est elle qui a trouvé le nom ! Moi, je n'ai fait que remplir le formulaire. Je pense que c'était le meilleur nom pour le groupe, mais bon ! Les DéZastres, on va s'y faire un jour...

Elle a réussi à faire rire la foule... Oh oh ! Et si une carrière d'humoriste la tentait maintenant ? Puis elle s'est tournée vers Patrice et a poursuivi en prenant des airs d'animatrice chevronnée.

— Et je tiens à vous informer qu'on organise à l'école un concours « Nous aussi, on fait de la musique ! ». Il y aura une quinzaine de participants qui interpréteront leur création. C'est un rendez-vous !

Ça, c'était mon VRAI moment de gloire !

Après, on a pris quelques photos rapidement avant de redescendre. Les DéZastres ont joué trois autres chansons et se sont éclipsés. Déjà terminé, le spectacle. La folie a descendu d'un cran pendant que les élèves reprenaient leur chemin vers la cafétéria ou la salle étudiante. Le retour à la réalité... mais avec un je-ne-sais-quoi de nouveau ! On avait tous vibré ensemble, ça doit laisser des traces.

Emma, Zoé, Rosalie et moi étions regroupées sur un coin de table de la salle étudiante. On n'en finissait plus de commenter et d'analyser tout ce qui s'était passé.

— Comment vous vous sentiez sur scène, les filles, devant tout ce monde ? a demandé Zoé.

— Gênée. Je devais être rouge. Non ? C'était tellement surréaliste comme moment, ai-je répondu.

— Oui, tu étais rouge. Mais quand j'ai pris la parole, tu es devenue blanche quelques secondes. T'avais peur, avoue ! a dit Rosalie.

— Certain qu'elle avait peur ! Moi aussi, j'avais peur, a répliqué Emma. On ne sait jamais, avec toi.

— Haha ! Très drôle, s'est moquée Rosalie. Mais je devais le faire. C'était important. Et tu m'avais assez cassé les oreilles avec ça, Emma !

— Je sais... Mais tu as été top! Tu ne semblais même pas gênée ou impressionnée. J'aurais cru que tu aurais bégayé ou que tu aurais été intimidée. Tu aurais pu sourire d'une façon un peu niaiseuse en regardant ton beau Gabriel!

— Je suis plus pro que ça! Et puis, il me faisait moins d'effet en personne. Il est moins grand et il a des boutons!

— Mouhahaha! Tout le monde a des boutons, des fois! Tu pensais quoi? Qu'il était immunisé à vie contre l'acné? Tu me fais rire, a lancé Zoé.

— Ben non! C'était plus le fait de vivre ça en gang, de remercier publiquement Fred et d'annoncer votre concours qui était important. Je place mes gros cailloux maintenant, a-t-elle précisé en m'envoyant un clin d'œil.

— Ça m'a beaucoup gênée, ai-je murmuré.

Mais personne n'a compris, car, au même moment, Emma a bondi sur ses pieds en criant: «Je l'ai!» super fort.

— Rosalie ! Je l'ai ! Tu vas animer la soirée du concours ! Ça te tente ? Dis oui ! C'est pas une grosse affaire ! Tu ne deviendras pas populaire instantanément ! Et ça ne passera pas à la télé, mais quand même ! Ça te tente-tu ?

Il y a eu quelques secondes de silence. Emma, Zoé et moi examinions Rosalie. On a vu de grands yeux zébrés d'un doute passager. Des sourcils qui sautillaient. Puis, un grand sourire dévastateur.

— Oui ! Oui ! Ça, c'est du concret ! Ça me tente à 200 % ! Et puis, la télé, ce n'est pas si important, a répondu Rosalie en essayant de nous faire croire ce qu'elle disait. Je ne sais même pas si je voudrai regarder mon... euh, notre passage à la télé vendredi soir prochain !

On a toutes éclaté de rire tellement ça nous paraissait impossible. C'est sûr qu'on allait se retrouver les quatre assises sur mon divan rose devant la télé pour regarder les extraits du passage des Divans Bleus – oups ! des DéZastres ! –

à notre école. Rosalie ne pourrait pas résister ! Nous non plus ! Mais je sais que mon amie a dit ça pour détendre l'atmosphère !

Vraiment, j'ai vécu une journée hors du commun sur tous les plans... J'aurais aimé faire un clin d'œil à la lune.

Et en plus, cette journée n'était pas terminée...

Épilogue

Durant le dernier cours de la journée, mon professeur de mathématiques a été conciliant avec ses élèves indisciplinés pour cause de surexcitation extrême. Il nous a donné des exercices supplémentaires à faire et la chance de nous avancer dans nos devoirs. C'était peine perdue de toute façon de vouloir enseigner de la nouvelle matière. J'en ai fait un peu, mais j'ai écrit le refrain et un couplet de la chanson pour Frédéric. Alors que je devais jongler avec les chiffres, j'ai plutôt fait faire des pirouettes à mes idées.

J'avais hâte de lui montrer mon premier jet. C'était, il me semble, en plein ce qu'il fallait. Le bon ton, le bon rythme et surtout les bonnes paroles. Tout coulait bien !

À toute allure, je fonce !
Ta main plantée dans la mienne.
La nuit pleine de promesses blanches
Je fonce avant que le jour ne revienne.

Tant pis pour la vitesse !
Tant pis pour les détours !
Je suis mon cœur dans ses chemins
Je fonce vers ces mille demains.

Des routes invisibles s'illuminent enfin
Mon cœur et tes yeux m'éclairent
Surtout ne lâche jamais ma main
Je ne veux plus perdre cette lumière

À toute allure, je fonce !
À toute allure, je plonge !
À toute allure, j'arrive... à toi !

Aujourd'hui, c'est spécial aussi, car mon couvre-feu est levé. Ma mère ne me surveille plus autant que la semaine passée. Elle se doute probablement que le retour sera plus long ce soir parce que mes amies et moi jacasserons en chemin.

Mais elle ne se doute peut-être pas que c'est plutôt avec Frédéric que je marche vers la maison.

Quand je suis passée devant son casier, il m'a spontanément lancé : « On marche ensemble ? Je passe te prendre à ta case dans cinq minutes ! » J'ai donc laissé partir mes trois amies toutes seules en leur promettant – encore ! – de les tenir au courant.

Frédéric arrive au pas de course en brandissant une feuille déchirée de son agenda. Il a écrit, lui aussi ! Comique comme coïncidence !

On parle de la journée. Il s'informe de ce que j'ai ressenti sur scène. Je pense qu'il a un peu le trac pour le concours. Mais, en même temps, il a hâte. Je lui dis que c'est comme une dose d'énergie. Ça soulève ! J'espère que c'est ce qu'il ressentira samedi prochain pendant le concours.

— Tu ne sais pas quoi ? J'ai entendu dire que l'émission *Les X de la musique* viendra faire un tour. Ils ont trouvé l'initiative de l'école très cool ! Une chance que Rosalie en a parlé.

— Elle est spéciale, mon amie, tu sais. Des fois, on dirait qu'elle fait tout pour que l'attention soit sur elle, puis pouf, elle lance le projecteur ailleurs.

— C'est à chacun notre tour de briller...

— C'est beau, ce que tu viens de dire...

— Tu ne le notes pas ? me demande-t-il, le sourire taquin. Parlant de briller... Je pense que je serais meilleur samedi prochain si tu étais avec moi à la soirée du concours...

Comme je m'apprête à répondre que je ne manquerai sa prestation pour rien au monde, il me fait signe de me taire. Oh ho ! Il se passe quoi ? Bon ou mauvais signe ?

— Il y aura un petit goûter avant le spectacle et on a le droit d'être accompagné. J'aimerais que tu viennes. Tu pourras être dans les coulisses avec moi. C'est toi que je veux. Juste être là. Me sourire. Pour m'aider à rester concentré. T'es la seule qui peut faire ça. Tu accepterais, Frédérique ? Dis oui !

Une autre onde de choc me secoue. C'est une invitation. Une invitation officielle. Presque une grande demande...

Je n'hésite pas. Je dis oui. Des milliers et des milliers de fois avant d'être capable de le prononcer pour vrai.

Être avec Frédéric, qu'il gagne ou qu'il perde, c'est tout ce qui compte pour moi. C'est là que je dois être. Je le sens.

Je le sens. C'est vrai. Là, juste là dans mon cœur. Je sais que je prends la bonne décision. Et je sais aussi que je veux que Frédéric devienne l'un de mes gros cailloux.

Les secrets du divan rose

T'est-il déjà arrivé de dire « oui » alors que ton cœur te disait « non » ? Ou le contraire ? Parfois, laisses-tu les autres décider à ta place ? Aimerais-tu arriver à dire plus facilement ce que tu penses ou ce que tu souhaites ? Comme Frédérique, te sens-tu parfois prise entre les demandes de tes amies ? Tu as une histoire à raconter ? Écris-moi !
divanrose@boomerangjeunesse.com

Pour tout savoir sur les nouveautés de la série, la présence de Nadine Descheneaux dans les salons et les tournées dans les écoles et les bibliothèques, visite régulièrement le site lessecretsdudivanrose.com ou nadinedescheneaux.com.

Dans la même collection

ISBN 978-2-89595-564-1

ISBN 978-2-89595-456-9

ISBN 978-2-89595-457-6

ISBN 978-2-89595-458-3

ISBN 978-2-89595-485-9

ISBN 978-2-89595-524-5

ISBN 978-2-89595-547-4

ISBN 978-2-89595-606-8

ISBN 978-2-89595-604-4

ISBN 978-2-89595-602-0